Claudine Lacasse

Presto

Mathématique • 3ᵉ cycle du primaire

Manuel B
Volume 2

avec la collaboration
de France de Palma (sections *Opus*)
et de K. Traoré et P. Diallo, chercheurs au Cirade,
sous la direction de Philippe Jonnaert (sections *Cadence*)

CEC

LES ÉDITIONS CEC INC.

8101, boul. Métropolitain Est, Anjou, Qc, Canada H1J 1J9
Téléphone : (514) 351-6010 Télécopieur : (514) 351-3534

Directrice de l'édition
Diane De Santis

Directrice de la production
Danielle Latendresse

Directrice de la coordination
Isabel Rusin

Chargée de projet
Diane Karneyeff

Révision scientifique
Jean-Guy Smith

Conception graphique
Matteau Parent graphisme et communication inc.
Nancy Boivin

Réalisation graphique
Matteau Parent graphisme et communication inc.
Geneviève Guérard

Illustrations
Irina Pusztai
Danielle Bélanger
Franfou

Nous tenons à remercier les élèves et les enseignantes du 3e cycle du primaire de l'école Sainte-Catherine-de Sienne, à Montréal, et de l'école Champ-fleuri, à Prévost, pour leur aimable participation aux activités de ce manuel.

SOURCES DES PHOTOS

p. 6	Balzac Communication
p. 34	Megapress/Mauritius
	Megapress/Allover
p. 49	Megapress/Philiptchenko
	Megapress/Philiptchenko
	Megapress/Allover
p. 52	Megapress/Bilderberg
p. 95	Megapress/Bognar

Les élèves des écoles Sainte-Catherine-de-Sienne et Champ-fleuri ont été photographiés par Peter Pusztai.

L'auteure et l'éditeur remercient les personnes suivantes qui ont participé à l'élaboration du projet à titre de consultants ou qui ont expérimenté le matériel :

Rita Fortier
enseignante, c. s. de Montréal

Luc Jacob
enseignant, c. s. Marguerite-Bourgeoys

Chantal Martinelli
enseignante, c. s. du Val-des-Cerfs

Martin Meloche
enseignant, c. s. Marguerite-Bourgeoys

Dans cet ouvrage, la féminisation des titres de fonctions et des textes est conforme aux règles d'écriture proposées par l'Office de la langue française dans le guide *Au Féminin,* produit par Les publications du Québec, 1991.

Les Éditions CEC inc. remercient le gouvernement du Québec de l'aide financière accordée à l'édition de cet ouvrage par l'entremise du Programme de crédit d'impôt pour l'édition de livres, administré par la SODEC.

Dépôt légal : 4e trimestre 2003
Bibliothèque nationale du Québec
Bibliothèque nationale du Canada

ISBN 2-7617-1975-1

Imprimé au Canada
1   2   3   4   5   07   06   05   04   03

Table des matières

 Arithmétique   Géométrie   Mesure   Probabilité et statistique

Les manuels Presto

Dans les manuels Presto, tu trouveras 98 leçons.

> Tu développeras tes compétences en résolution de situations-problèmes.

> Tu amélioreras ton raisonnement et ta pensée logique en plus d'enrichir ton langage mathématique.

> En manipulant du matériel, tu pourras construire des concepts que tu appliqueras mieux par la suite.

> Tes méthodes de travail et tes stratégies d'apprentissage deviendront de plus en plus efficaces.

Chaque leçon comprend une démarche en trois étapes :
> **la mise en situation,**
> la réalisation,
> l'intégration.

À l'étape de la **mise en situation**, on te soumet une question afin que tu puisses communiquer tes stratégies, ce que tu sais, ce que tu as déjà expérimenté.

Cette situation te donne un aperçu de ce que tu réaliseras à la prochaine étape.

Leçon 68

Comment peux-tu procéder pour indiquer la durée ci-dessous à l'aide d'une seule unité de mesure ?

La dernière pleine lune a eu lieu il y a 3 semaines, 6 jours, 46 heures, 118 minutes et 2 secondes.

La résolution de situations-problèmes au coeur de l'activité mathématique !

À l'étape de la **réalisation**, on te propose deux situations mathématiques. Tu peux choisir d'en résoudre une, ou les deux.

À cette étape :

› Tu découvres, tu construis tes savoirs en utilisant différentes ressources.

› Tu t'exprimes et tu compares tes idées avec celles des autres.

› Tu peux choisir des activités selon tes goûts.

› Tu peux travailler en groupe, apprendre à coopérer et à exercer ton jugement critique.

La section Tour de table te permet de discuter, en groupe ou collectivement, des démarches et des stratégies que tu as utilisées.

› Tu peux communiquer ce que tu ne comprends pas, ce que tu as appris et ce que tu ressens.

À cette étape, on retrouve au moins l'une de ces cinq rubriques.

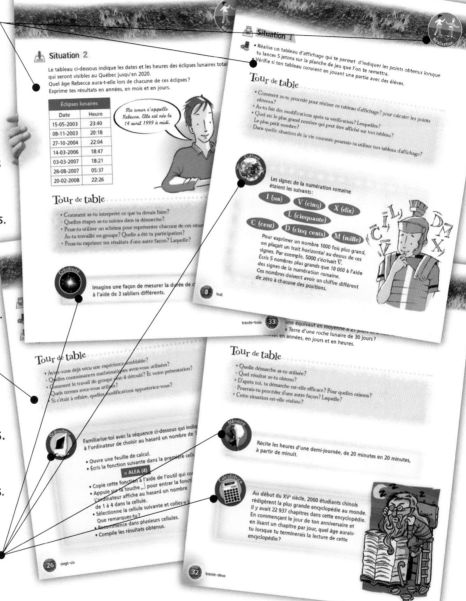

Des pictogrammes indiquent le matériel à utiliser dans les manuels Presto.

 Utilise une feuille ou ton cahier.

 Utilise du matériel de manipulation.

 Utilise la feuille qu'on te remettra.

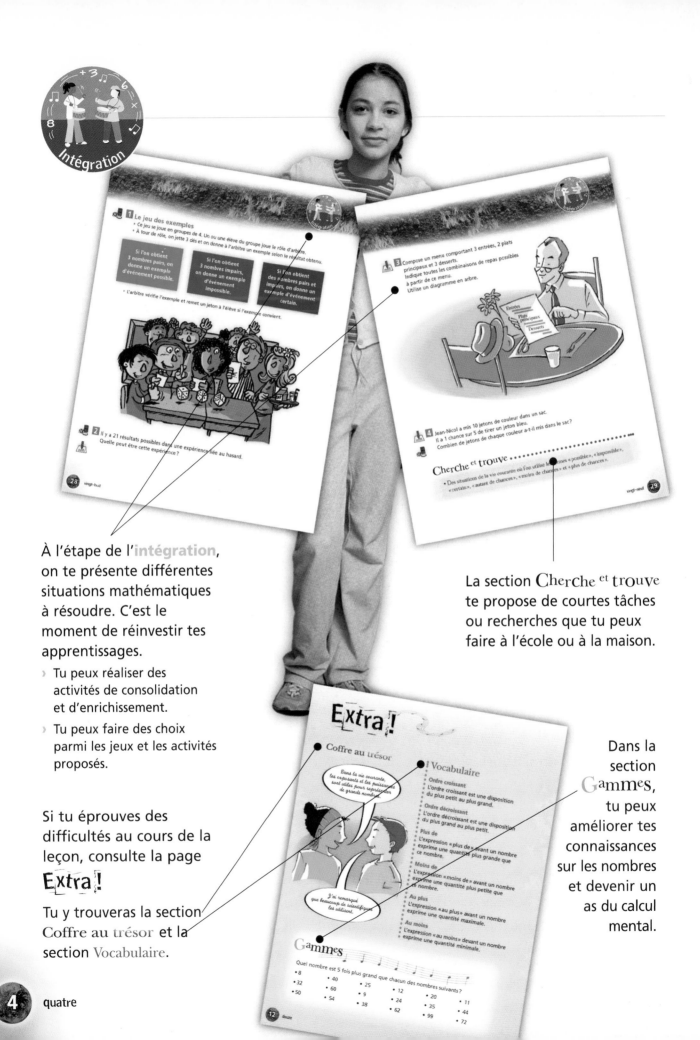

À l'étape de l'intégration, on te présente différentes situations mathématiques à résoudre. C'est le moment de réinvestir tes apprentissages.

› Tu peux réaliser des activités de consolidation et d'enrichissement.

› Tu peux faire des choix parmi les jeux et les activités proposés.

Si tu éprouves des difficultés au cours de la leçon, consulte la page Extra !

Tu y trouveras la section Coffre au trésor et la section Vocabulaire.

La section Cherche et trouve te propose de courtes tâches ou recherches que tu peux faire à l'école ou à la maison.

Dans la section Gammes, tu peux améliorer tes connaissances sur les nombres et devenir un as du calcul mental.

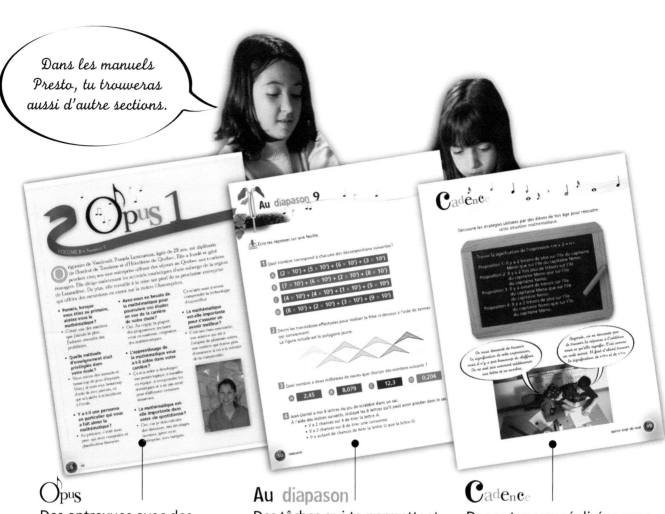

O̦pus

Des entrevues avec des personnes qui témoignent de l'utilité de la mathématique dans leur vie quotidienne.

Au diapason

Des tâches qui te permettent d'analyser tes apprentissages après chaque groupe de sept leçons.

C̦adence

Des entrevues réalisées avec des élèves de ton âge sur les stratégies qu'ils et elles utilisent pour résoudre différentes situations mathématiques.

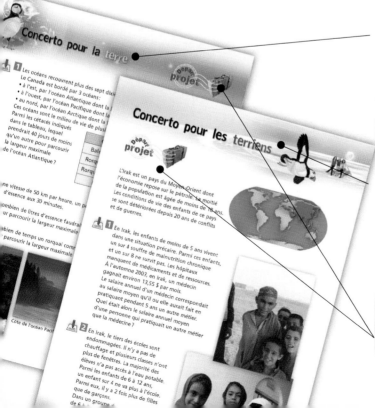

Concerto pour la terre

Des situations mathématiques qui ont pour thème la terre, par exemple la flore, la faune, l'environnement.

La résolution de ces situations te permet de synthétiser tes apprentissages.

Concerto pour les terriens

Des situations mathématiques qui ont pour thème les terriens, par exemple la vie quotidienne des enfants dans d'autres pays.

Une belle occasion d'aller plus loin et de faire de ces pages le point de départ d'un projet de classe.

Opus 1

VOLUME B • Numéro 2

Originaire de Vaudreuil, Pamela Lamoureux, âgée de 29 ans, est diplômée de l'Institut de Tourisme et d'Hôtellerie du Québec. Elle a fondé et géré pendant cinq ans une entreprise offrant des séjours au Québec aux touristes étrangers. Elle dirige maintenant les activités touristiques d'une auberge de la région de Lanaudière. De plus, elle travaille à la mise sur pied de sa prochaine entreprise qui offrira des excursions en canot sur la rivière l'Assomption.

- **Pamela, lorsque vous étiez au primaire, aimiez-vous la mathématique?**
- C'était une des matières que j'aimais le plus. J'adorais résoudre des problèmes.

- **Quelle méthode d'enseignement était privilégiée dans votre école?**
- Nous avions des manuels et beaucoup de jeux d'équipes. Mais j'ai aussi reçu beaucoup d'aide de mes parents, ce qui m'a aidée à m'améliorer à l'école.

- **Y a-t-il une personne en particulier qui vous a fait aimer la mathématique?**
- Au primaire, c'était mon père, qui était comptable et planificateur financier.

- **Avez-vous eu besoin de la mathématique pour poursuivre vos études en vue de la carrière de votre choix?**
- Oui. Au cégep, la plupart des programmes, incluant celui en tourisme, exigeaient des mathématiques.

- **L'apprentissage de la mathématique vous a-t-il aidée dans votre carrière?**
- Ça m'a aidée à développer une pensée logique, à travailler en équipe, à comprendre les statistiques et à ne pas avoir peur d'affronter certaines situations.

- **La mathématique est-elle importante dans votre vie quotidienne?**
- Oui, car je dois calculer des distances, des décalages horaires, gérer mon entreprise, mes budgets.

Ça m'aide aussi à mieux comprendre la technologie d'aujourd'hui

- **La mathématique est-elle importante pour s'assurer un avenir meilleur?**
- C'est une base essentielle, une science qui est à l'origine de plusieurs autres, une matière qui donne plus d'assurance si on a la volonté de la comprendre.

Leçon 64

Mina a lancé 3 jetons sur une planche de jeu.
À l'intérieur de quel cercle doit-elle lancer son dernier jeton si elle veut augmenter
son résultat de 10 centaines?

Situation 1

- Réalise un tableau d'affichage qui te permet d'indiquer les points obtenus lorsque tu lances 5 jetons sur la planche de jeu que l'on te remettra.
- Vérifie si ton tableau convient en jouant une partie avec des élèves.

Tour de table

- Comment as-tu procédé pour réaliser ce tableau d'affichage? pour calculer les points obtenus?
- As-tu fait des modifications après ta vérification? Lesquelles?
- Quel est le plus grand nombre qui peut être affiché sur ton tableau? Le plus petit nombre?
- Dans quelle situation de la vie courante pourrais-tu utiliser ton tableau d'affichage?

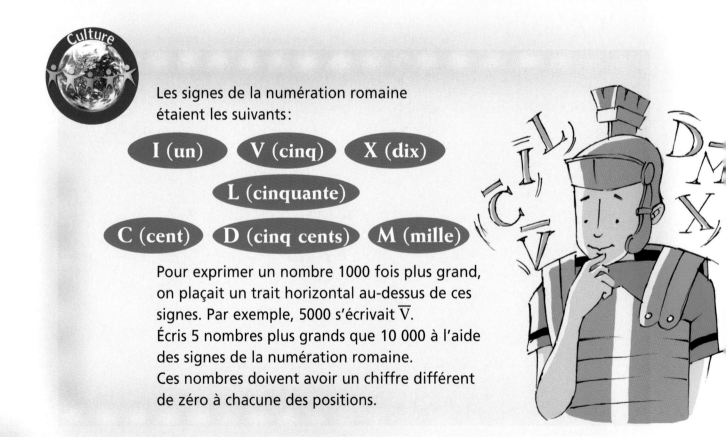

Culture

Les signes de la numération romaine étaient les suivants:

I (un) V (cinq) X (dix)

L (cinquante)

C (cent) D (cinq cents) M (mille)

Pour exprimer un nombre 1000 fois plus grand, on plaçait un trait horizontal au-dessus de ces signes. Par exemple, 5000 s'écrivait $\overline{V}$.
Écris 5 nombres plus grands que 10 000 à l'aide des signes de la numération romaine.
Ces nombres doivent avoir un chiffre différent de zéro à chacune des positions.

Situation 2

- Assemble la roulette sur la feuille qu'on te remettra.
- Imagine un jeu qui te permettra de former des nombres plus grands que 10 000.
- Présente ton jeu à des élèves.

Tour de table

- Quelles connaissances mathématiques as-tu utilisées pour créer ton jeu?
- As-tu éprouvé des difficultés? Lesquelles?
- Es-tu satisfaite ou satisfait du jeu que tu as imaginé?
- Quelles modifications y apporterais-tu? Pour quelles raisons?
- Quelles émotions as-tu ressenties lors de ta présentation?

Calculatrice

- Découvre la valeur de chaque quantité ci-dessous en appuyant à répétition, un certain nombre de fois, sur la touche = .

10^3 10^5 10^2 10^4 10^6

- Note les touches sur lesquelles tu as appuyé.
- Compare tes séquences avec celles d'autres élèves.

1 Écris l'article de journal ci-contre en remplaçant chaque expression numérique par un nombre qui convient.

> En 1911, **plus de un demi-million** de personnes vivaient sur l'île de Montréal, **près de 8 dizaines de mille** à Québec, et les autres villes de la province comptaient **au plus 10 milliers** d'habitants.

2 Dis ou écris en ordre décroissant 15 nombres entre 850 000 et 900 000 en utilisant les mots ci-dessous.

quatre **huit**

dix **vingt**

cent **mille**

Pour chaque nombre, tu peux répéter ces mots autant de fois qu'il le faut.

3 Dans quelle classe d'un tableau de numération se situe chacun des nombres ci-dessous : la classe des unités, celle des milliers ou celle des millions ?

A 10^2 **B** 10^4 **C** 10^1 **D** 10^6

 4 Sur une droite numérique, entre quels nombres naturels se situe le nombre qui correspond à chacune des décompositions suivantes ?

A $(2 \times 10^5) + (5 \times 10^3) + (6 \times 10^2) + (3 \times 10^0)$

B $(8 \times 10^4) + (2 \times 10^3) + (7 \times 10^2) + (5 \times 10^1)$

C $(6 \times 10^5) + (4 \times 10^4) + (8 \times 10^3) + (7 \times 10^0)$

D $(9 \times 10^5) + (8 \times 10^2) + (7 \times 10^1) + (9 \times 10^0)$

E $(3 \times 10^4) + (1 \times 10^3) + (5 \times 10^2) + (4 \times 10^0)$

 5 **A** Combien de nombres naturels arrondis à la dizaine près ont comme résultat 50 ?

B Combien de nombres naturels arrondis à la centaine près ont comme résultat 500 ?

Quel moyen as-tu utilisé pour trouver ces quantités ?

Cherche et trouve •••••••••••••••••••••••

- Des nombres exprimés à l'aide d'exposants dans une revue ou un livre.
- Des suites d'opérations où l'on trouve des parenthèses.

Extra !

Coffre au trésor

> *Dans la vie courante, les exposants et les puissances sont utiles pour représenter de grands nombres.*

> *J'ai remarqué que beaucoup de scientifiques les utilisent.*

Vocabulaire

Ordre croissant
L'ordre croissant est une disposition du plus petit au plus grand.

Ordre décroissant
L'ordre décroissant est une disposition du plus grand au plus petit.

Plus de
L'expression « plus de » avant un nombre exprime une quantité plus grande que ce nombre.

Moins de
L'expression « moins de » avant un nombre exprime une quantité plus petite que ce nombre.

Au plus
L'expression « au plus » avant un nombre exprime une quantité maximale.

Au moins
L'expression « au moins » devant un nombre exprime une quantité minimale.

Gammes

Quel nombre est 5 fois plus grand que chacun des nombres suivants ?

• 8	• 40	• 25	• 12	• 20	• 11
• 32	• 60	• 9	• 24	• 35	• 44
• 50	• 54	• 38	• 62	• 99	• 72

Harold organise une fête avec ses amis.

Il a décoré ses cartes d'invitation à l'aide d'une frise.

Peux-tu décrire cette frise de différentes façons, à l'aide de termes mathématiques ?

Situation 1

- Réalise une frise qui sert de bordure à une carte.
  Utilise 2 gabarits de formes différentes.
  Trace leurs images, sur la feuille à points qu'on te remettra, en effectuant des translations dans différentes directions.
- Décris symboliquement les translations effectuées, à l'aide de flèches, sur les quadrillages qu'on te remettra.

Tour de table ....

- Indique chacune des étapes que tu as suivies pour réaliser ta frise.
- Quelles connaissances mathématiques as-tu utilisées?
- As-tu fait des apprentissages? Lesquels?
- Pourrais-tu créer une bordure différente avec tes gabarits? Laquelle?
- Quel sens donnes-tu aux mots «translation» et «réflexion»?

- Observe la frise ci-dessous.
- Ferme ton manuel et reproduis-la sur un quadrillage.
- Décris à une ou un élève comment tu as procédé pour mémoriser cette frise.

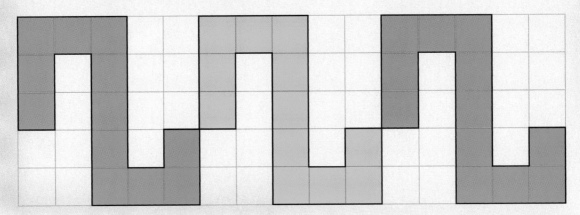

Situation 2

- Découpe une petite figure dans un carton.
- À l'aide de cette figure, réalise, sur la feuille à points qu'on te remettra, une frise pour décorer une carte.
  Tu dois procéder de la façon suivante :

> **Trace des images de ta figure en effectuant des translations qui suivent la forme d'une lettre de l'alphabet.**

- Décris symboliquement les translations effectuées, à l'aide de flèches, sur les quadrillages que l'on te remettra.

Voici la description symbolique de 2 translations que j'ai effectuées.

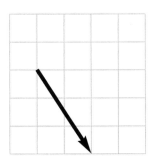 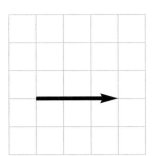

Tour de table

- Comment as-tu interprété ce que tu devais faire ?
- Es-tu satisfait ou satisfaite du résultat obtenu ?
- Quelles modifications y apporterais-tu ?
- As-tu fait plusieurs essais ?
- Comment as-tu procédé pour décrire symboliquement les translations effectuées ?

1 Le jeu des flèches

- Ce jeu se joue à 3. Un ou une élève du groupe joue le rôle d'arbitre.
- Avant de commencer la partie, on construit le dé et on découpe les pions sur les feuilles qu'on vous remettra.
- On place ensuite son pion sur la planche de jeu, à l'endroit de son choix.
- À tour de rôle, on jette le dé et on effectue la translation indiquée si cela est possible. L'arbitre vérifie si elle convient.
- La première personne qui atteint l'image de son pion sur la planche de jeu gagne la partie.

2 Réalise une frise à partir des figures illustrées sur la feuille qu'on te remettra.

Suis les indications ci-dessous et utilise une règle.

Première image
des figures A et B

Deuxième image des figures A et B

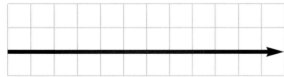

Troisième image des figures A et B

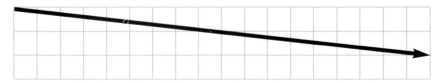

3 Trace une flèche qui décrit la translation de chaque figure colorée.
Utilise une règle et la feuille qu'on te remettra.

A

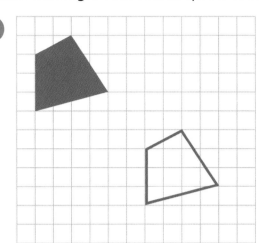

B

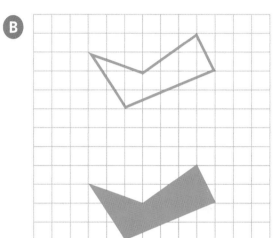

C

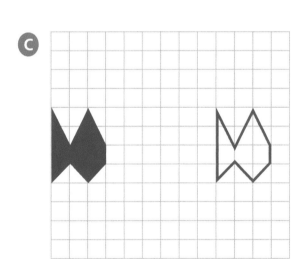

D

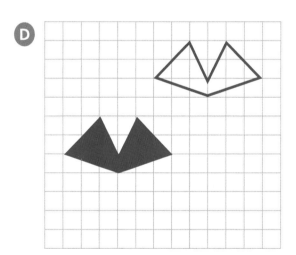

Cherche et trouve ••••••••••••••••••••••••••••••

- Des illustrations, dans une revue, qui montrent des exemples de translations.
- Des motifs sur des objets ou des vêtements qui illustrent des exemples de translations.

Extra !

Coffre au trésor

Les images que l'on obtient après avoir effectué des translations ont la même forme, les mêmes dimensions et le même sens que la figure initiale.

On peut décrire une translation à l'aide seulement d'une flèche sur un quadrillage. Par exemple, la flèche ci-dessous signifie un déplacement de 2 cases vers la droite et de 3 cases vers le haut.

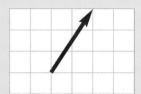

Vocabulaire

Frise

Une frise est une bande continue dans laquelle le ou les motifs se répètent en suivant une régularité.

Translation

La translation est une transformation géométrique qui permet d'obtenir l'image d'une figure en la déplaçant selon un sens, une direction et une longueur donnés.

Flèche de translation

La flèche de translation donne la direction, le sens et la longueur des points de la figure à ceux de son image.

Gammes

À quelle multiplication chacun des produits ci-dessous peut-il correspondre ?

• 36	• 54	• 48	• 24	• 72
• 42	• 21	• 56	• 49	• 28
• 18	• 32	• 64	• 20	• 45

De quelle façon cette montre peut-elle afficher une durée
de quatre cent cinquante-six millièmes de seconde ?

Innovation
technologique

Une montre munie d'un chronomètre
capable de mesurer des durées
au millième de seconde !

Situation 1

 Les chronomètres ci-dessous indiquent des durées en millièmes de seconde.
- Décompose ces nombres à l'aide des cartes sur les feuilles qu'on te remettra.

0,625   0,307   0,089

- Compare tes résultats avec ceux d'autres élèves.

Tour de table ·

- As-tu utilisé toutes les cartes? Pour quelles raisons?
- Quelles ressemblances et quelles différences y a-t-il entre tes décompositions et celles d'autres élèves?
- As-tu éprouvé des difficultés? Lesquelles?
- Peux-tu décomposer ces nombres d'une autre façon? Laquelle?
- Quel lien y a-t-il entre ces décompositions et celles des nombres naturels?

Créativité

- Imagine un jeu à partir des cartes que tu as utilisées à la situation 1.
- Présente ton jeu à des élèves. Apportes-y des corrections s'il y a lieu.

Situation 2

- Utilise les feuilles qu'on te remettra afin de former un quadrilatère dans lequel tu pourras représenter des millièmes de seconde.
- Colle ce quadrilatère sur un carton.
- Représente dans ce quadrilatère les millièmes de seconde de chacune des durées indiquées ci-dessous.

Il n'y avait que trois cent dix millièmes de seconde entre les 2 coureurs.

Le champion du monde en ski alpin a été devancé de deux cent six millièmes de seconde par son rival.

Le coureur automobile a remporté la course en un temps d'une heure, vingt-deux minutes et cinq cent quatre-vingt-trois millièmes de seconde.

Comment peux-tu représenter la décomposition de chacun de ces nombres décimaux?

Tour de table

- Décris comment tu as procédé pour représenter ces millièmes de seconde.
- Parmi ces nombres, lequel est le plus grand? le plus petit?
- Peux-tu exprimer ces nombres décimaux d'une autre façon? Laquelle?

- Quel nombre décimal est équivalent à chacune des fractions ci-contre?
- Note les séquences que tu as utilisées pour découvrir ces fractions.

 $\dfrac{1}{250}$ $\dfrac{5}{625}$ $\dfrac{10}{400}$ $\dfrac{2}{500}$

1 Quel nombre décimal correspond à chacune des décompositions suivantes ?

A $(3 \times 10^1) + (2 \times \frac{1}{10}) + (4 \times \frac{1}{100}) + (5 \times \frac{1}{1000})$

B $(6 \times 10^2) + (8 \times 10^0) + (9 \times \frac{1}{1000})$

C $(7 \times 10^1) + (5 \times 10^0) + (1 \times \frac{1}{10}) + (6 \times \frac{1}{100})$

D $(2 \times 10^3) + (4 \times 10^2) + (9 \times 10^1) + (3 \times \frac{1}{10}) + (7 \times \frac{1}{1000})$

2 Écris 3 nombres décimaux de 5 chiffres qui se situent entre les nombres ci-dessous.

A Entre 40 et 45   **B** Entre 63 et 66

C Entre 124 et 125   **D** Entre 99 et 100

3 Le prix du litre d'essence est affiché en millièmes de dollars.
Arrondis au centième près les nombres suivants.

A 0,825   **B** 0,793   **C** 0,806

D 0,764   **E** 0,862   **F** 0,918

4 Un quadrillage est formé de 1000 carrés identiques.
Quelle partie de ce quadrillage chacune des illustrations ci-dessous représente-t-elle ?
Utilise des nombres décimaux pour exprimer tes réponses.

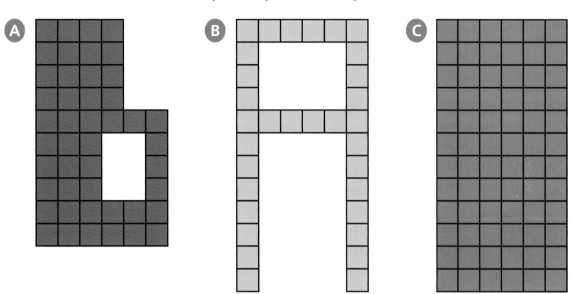

5 Modifie les nombres suivants de sorte que la valeur du chiffre 4 soit quatre centièmes.

A 75 246   **B** 23 894   **C** 8 712 345

Cherche ᵉᵗ trouve ••••••••••••••••••••••••••

- Le nom de la position à la droite des millièmes dans un tableau de numération.
- Un exemple de l'utilité des millièmes pour les scientifiques.

Extra !

Coffre au trésor

Classe des millions			Classe des milliers			Classe des unités					
		10^6	10^5	10^4	10^3	10^2	10^1	10^0	$\frac{1}{10}$	$\frac{1}{100}$	$\frac{1}{1000}$

Un nombre décimal qui a plus de chiffres qu'un autre nombre n'est pas nécessairement plus grand que cet autre nombre.

Pour arrondir un nombre décimal, tu peux procéder d'une façon semblable à celle que tu utilises pour les nombres naturels.

Gammes

Calcule mentalement les sommes suivantes.

- 25 + 50 = ?
- 75 + 50 = ?
- 25 + 75 = ?
- 50 + 125 = ?
- 150 + 75 = ?
- 275 + 50 = ?
- 175 + 175 = ?
- 350 + 175 = ?
- 25 + 25 + 25 = ?
- 125 + 175 = ?
- 25 + 450 = ?
- 225 + 175 = ?

Mise en situation

Mounia a reçu un chaton en cadeau.
Pour trouver la première lettre du nom qu'elle lui donnera, elle a mis dans un sac
18 lettres du jeu de scrabble.
Elle a une chance sur trois de tirer une voyelle.
Quelles lettres peut-elle avoir mises dans le sac ?

🖐 Situation 1

- Forme un groupe de 3 élèves.
- Imaginez et réalisez une expérience liée au hasard à l'aide du matériel qu'on vous remettra.
- Présentez votre expérience et vos résultats à un groupe d'élèves en utilisant des termes reliés à la probabilité.

Tour de table

- Aviez-vous déjà vécu une expérience semblable ?
- Quelles connaissances mathématiques avez-vous utilisées ?
- Comment le travail de groupe s'est-il déroulé ? Et votre présentation ?
- Quels termes avez-vous utilisés ?
- Si c'était à refaire, quelles modifications apporteriez-vous ?

Ordinateur

Familiarise-toi avec la séquence ci-dessous qui indique à l'ordinateur de choisir au hasard un nombre de 1 à 4.

- Ouvre une feuille de calcul.
- Écris la fonction suivante dans la première cellule (A, 1) :

> **= ALEA (4)**

- Copie cette fonction à l'aide de l'outil qui convient.
- Appuie sur la touche ↵ pour entrer la fonction. L'ordinateur affiche au hasard un nombre de 1 à 4 dans la cellule.
- Sélectionne la cellule suivante et colles-y la fonction. Que remarques-tu ?
- Recommence dans plusieurs cellules.
- Compile les résultats obtenus.

Quelle modification dois-tu apporter à la fonction pour obtenir un nombre de 1 à 8 ?

Situation 2

Forme un groupe de 2 élèves.

Réalisez une expérience liée au hasard en suivant les étapes ci-dessous.

- Découpez les cartes sur les feuilles qu'on vous remettra.
- Coloriez les dessins de différentes couleurs. Lors d'un tirage, il faut qu'il soit plus probable de tirer une couleur plutôt qu'une autre. Il faut aussi qu'il soit également probable de tirer deux couleurs.
- Représentez et indiquez tous les résultats qu'il est possible d'obtenir en tirant 3 cartes.
- Faites des prédictions, des tirages, notez vos résultats et vérifiez s'ils correspondent à tous les résultats possibles.

Combien de chances avez-vous d'obtenir chacune des couleurs?

Tour de table

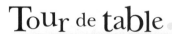

- Comment votre expérience s'est-elle déroulée?
- Qu'avez-vous observé?
- Comment avez-vous placé les cartes pour effectuer les tirages?
- Est-ce que les résultats obtenus correspondaient à tous les résultats possibles?
- En utilisant plus de cartes, avez-vous plus de chances d'obtenir un résultat plutôt qu'un autre?

 1 **Le jeu des exemples**

- Ce jeu se joue en groupes de 4. Un ou une élève du groupe joue le rôle d'arbitre.
- À tour de rôle, on jette 3 dés et on donne à l'arbitre un exemple selon le résultat obtenu.

Si l'on obtient 3 nombres pairs, on donne un exemple d'événement possible.	Si l'on obtient 3 nombres impairs, on donne un exemple d'événement impossible.	Si l'on obtient des nombres pairs et impairs, on donne un exemple d'événement certain.

- L'arbitre vérifie l'exemple et remet un jeton à l'élève si l'exemple convient.

 2 Il y a 21 résultats possibles dans une expérience liée au hasard.
Quelle peut être cette expérience?

 3 Compose un menu comportant 3 entrées, 2 plats principaux et 3 desserts.
Indique toutes les combinaisons de repas possibles à partir de ce menu.
Utilise un diagramme en arbre.

 4 Jean-Nicol a mis 10 jetons de couleur dans un sac.
Il a 1 chance sur 5 de tirer un jeton bleu.
Combien de jetons de chaque couleur a-t-il mis dans le sac?

Cherche et trouve

- Des situations de la vie courante où l'on utilise les termes «possible», «impossible», «certain», «autant de chances», «moins de chances» et «plus de chances».

Coffre au trésor

Lorsqu'on a plus de chances d'obtenir un résultat plutôt que d'autres,
il est plus probable que cet événement se produise.

Lorsqu'on a autant de chances d'obtenir un résultat que d'autres,
il est également probable que cet événement se produise.

Lorsqu'on a moins de chances d'obtenir un résultat que d'autres,
il est moins probable que cet événement se produise.

Dans mon sac, j'ai mis 2 jetons rouges, 3 jetons bleus et 1 jeton vert.

Si je tire un jeton dans ton sac, j'ai 1 chance sur 6 de tirer un jeton vert.

Si je tire un jeton dans ton sac, j'ai 5 chances sur 6 de ne pas tirer un jeton vert.

Gammes

Calcule mentalement les différences suivantes.

- 125 – 75 = ?
- 75 – 50 = ?
- 100 – 75 = ?
- 175 – 50 = ?
- 225 – 50 = ?
- 375 – 125 = ?
- 400 – 225 = ?
- 350 – 175 = ?
- 150 – 25 = ?
- 300 – 125 = ?
- 425 – 175 = ?
- 250 – 175 = ?

Leçon 68

Comment peux-tu procéder pour indiquer la durée ci-dessous à l'aide d'une seule unité de mesure ?

Situation 1

Une «journée» sur la Lune équivaut en moyenne à 27 jours et 8 heures sur la Terre.
À quel âge sur la Terre correspondrait une roche lunaire de 30 jours?
Exprime ton résultat en années, en jours et en heures.

Tour de table

- Quelle démarche as-tu utilisée?
- Quel résultat as-tu obtenu?
- D'après toi, ta démarche est-elle efficace? Pour quelles raisons?
- Pourrais-tu procéder d'une autre façon? Laquelle?
- Cette situation est-elle réaliste?

Mémoire

Récite les heures d'une demi-journée, de 20 minutes en 20 minutes, à partir de minuit.

Calculatrice

Au début du XVe siècle, 2000 étudiants chinois rédigèrent la plus grande encyclopédie au monde. Il y avait 22 937 chapitres dans cette encyclopédie. En commençant le jour de ton anniversaire et en lisant un chapitre par jour, quel âge aurais-tu lorsque tu terminerais la lecture de cette encyclopédie?

Situation 2

Le tableau ci-dessous indique les dates et les heures des éclipses lunaires totales qui seront visibles au Québec jusqu'en 2020.

Quel âge Rebecca aura-t-elle lors de chacune de ces éclipses?

Exprime tes résultats en années, en mois et en jours.

Éclipses lunaires	
Date	Heure
15-05-2003	23:40
08-11-2003	20:18
27-10-2004	22:04
14-03-2006	18:47
03-03-2007	18:21
28-08-2007	05:37
20-02-2008	22:26

Ma sœur s'appelle Rebecca. Elle est née le 14 avril 1999 à midi.

Tour de table

- Comment as-tu interprété ce que tu devais faire?
- Quelles étapes as-tu suivies dans ta démarche?
- Peux-tu utiliser un schéma pour représenter chacune de ces situations? Lequel?
- As-tu travaillé en groupe? Quelle a été ta participation?
- Peux-tu exprimer tes résultats d'une autre façon? Laquelle?

Imagine une façon de mesurer la durée de chacun de tes cours à l'aide de 3 sabliers différents.

1 Une tarentule femelle a une longévité de 25 ans.
Le mâle a une longévité 3 fois moins longue.
Quelle est la longévité d'une tarentule mâle?

2 La famille de Kim se rend en Floride pour les vacances. Ils partent en auto à 05:34 et arrivent à l'aéroport au bout de 2 h 50 min. Leur avion décolle à 09:40 et ils arriveront à destination à midi quinze. Quelle est la durée totale de ce voyage? Utilise un schéma pour découvrir cette réponse.

3 Émile se rend au musée en autobus. Le trajet dure 47 minutes. Émile commence sa visite à 09:40. Elle dure 138 minutes.

A À quelle heure Émile est-il monté à bord de l'autobus?

B À quelle heure a-t-il terminé sa visite du musée?

4 La montre de Léa avance de 12 minutes.
Enlève ces minutes à chacune des heures indiquées ci-dessous.

A 15:09 B 00:10 C 04:25 D 12:00 E 23:01

5 Éloi peinture 2 cubes identiques.
Il lui faut 9 min 32 s pour peinturer un cube.
Quelle heure sera-t-il quand il aura terminé s'il a commencé à 16:35 ?

6 Marco rédige des questions pour un jeu questionnaire.
Quelles réponses donnerais-tu aux questions ci-dessous ?
Fais un schéma pour illustrer chaque question.

A Combien de décennies faut-il enlever à un demi-millénaire pour obtenir 3 siècles ?

B Combien de trimestres faut-il ajouter à six décennies pour obtenir un siècle ?

Cherche et trouve ••••••••••••••••••••••••••

- Le temps que tu consacres à l'école (cours et devoirs) au cours d'une semaine.
- Le temps que tu passes à regarder la télévision au cours d'une semaine.
- Le temps durant lequel la garderie scolaire est ouverte au cours d'une semaine.

Coffre au trésor

J	F	M	A	M	J	J	A	S	O	N	D
1er trimestre			2e trimestre			3e trimestre			4e trimestre		
1er semestre						2e semestre					
1 an											
1 an	1 an	1 an	1 an	1 an	1 an	1 an	1 an	1 an	1 an		
1 décennie											
1 décennie	1 décennie	1 décennie	1 décennie	1 décennie	1 décennie	1 décennie	1 décennie	1 décennie	1 décennie		
1 siècle											
1 siècle	1 siècle	1 siècle	1 siècle	1 siècle	1 siècle	1 siècle	1 siècle	1 siècle	1 siècle		
1 millénaire											

XVIIIe siècle	XIXe siècle	XXe siècle	
1700	1800	1900	2000

Il y a 365 jours dans une année.

Il y a 366 jours dans une année bissextile.

Il y a 52 semaines dans une année.

Gammes

Remplace chaque multiplication ci-dessous par une multiplication de 2 nombres.

- $3 \times 2 \times 4 = ?$
- $6 \times 4 \times 8 = ?$
- $9 \times 3 \times 8 = ?$
- $9 \times 9 \times 9 = ?$

- $5 \times 5 \times 5 = ?$
- $10 \times 2 \times 3 = ?$
- $4 \times 12 \times 7 = ?$
- $4 \times 10 \times 8 = ?$

- $4 \times 3 \times 7 = ?$
- $7 \times 6 \times 2 = ?$
- $7 \times 8 \times 11 ?$
- $12 \times 11 \times 4 = ?$

Leçon 69

D'après toi, quelle est la grandeur, en degrés, du plus petit angle formé par les aiguilles de la montre de Frédéric?

Situation 1

- Construis un gabarit d'angles semblable à celui ci-contre.
  Utilise deux bandes de 14 cm de longueur et de moins
  de 2 cm de largeur.
   Relie ces bandes à l'aide d'une attache parisienne.
- Avec ce gabarit, représente le plus petit angle formé
  par les aiguilles d'une pendule à chacune des heures suivantes.

13:50   **09:10**   **11:05**   **10:55**

- Mesure la grandeur exacte de chacun de ces angles à l'aide d'un rapporteur d'angles.

Tour de table

- Quel résultat as-tu obtenu?
- As-tu utilisé une procédure pour te servir du rapporteur d'angles? Laquelle?
- Comment as-tu découvert cette procédure?
- As-tu fait plusieurs vérifications? Pour quelles raisons?
- À combien de degrés un angle aigu peut-il correspondre? Et un angle obtus?
- As-tu fait des découvertes? Lesquelles?

Comment pourrais-tu
procéder pour marquer
d'autres graduations
sur un rapporteur
semblable à celui-ci?

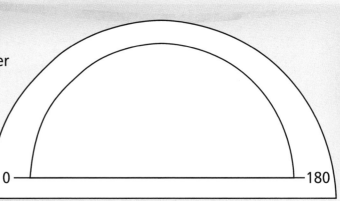

0   180

Situation 2

• Mesure les angles indiqués dans les cadrans ci-dessous.
  Utilise un rapporteur d'angles et note tes résultats.

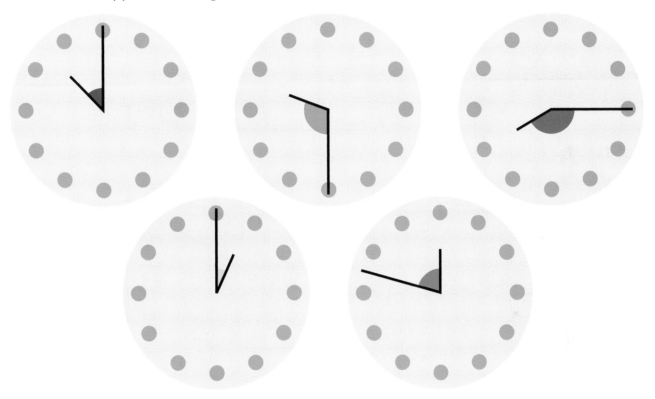

• Réalise une affiche qui indique une procédure à suivre pour mesurer la grandeur
  d'un angle avec un rapporteur d'angles.

Tour de table ....

• Présente tes résultats et ton affiche.
• As-tu éprouvé des difficultés? Lesquelles?
• Quels moyens as-tu utilisés pour les surmonter?
• Quelles connaissances as-tu utilisées pour mesurer les angles?
• As-tu fait des apprentissages? Lesquels?

1 Trace un angle ayant 5 degrés de moins que chacun des angles ci-dessous.
Utilise une règle et un rapporteur d'angles.

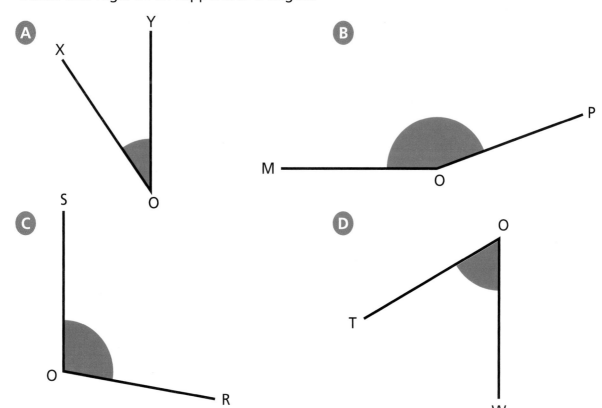

2 **A** Trace un triangle ayant un angle de 100°.
Utilise une règle et un rapporteur d'angles.

B Quel type de triangle as-tu tracé en A ?

C Quelle est la grandeur des 2 autres angles à l'intérieur de ce triangle ?

3 **A** Trace un triangle ayant 3 angles de même grandeur.
Utilise une règle et un rapporteur d'angles.

B Quelle est la grandeur de chaque angle à l'intérieur de ce triangle ?

 4 **Le jeu du rapporteur**

- Ce jeu se joue à 3.

- Avant de commencer la partie, assemblez les pièces sur la feuille qu'on vous remettra de manière à obtenir un rapporteur semblable à celui ci-dessous.

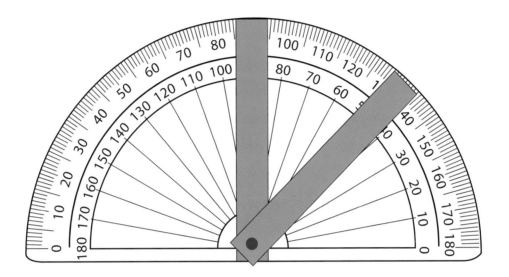

- À tour de rôle, jouez chacun des rôles suivants.
  - Choisir un type d'angle:

angle aigu   ou   **angle obtus**

  - Nommer une grandeur, en degrés, qui convient à ce type d'angle.

  - Représenter cette grandeur d'angle sur le rapporteur construit au début de la partie.

Cherche ^{et} trouve ●●●●●●●●●●●●●●●●●●●●●●●●●

- Des situations de la vie courante où l'on utilise les termes « angle » et « degré ».
- Des situations de la vie quotidienne où l'on doit mesurer des grandeurs d'angles.

Extra !

Coffre au trésor

Un angle est une grandeur et non une figure.

La plupart des rapporteurs d'angles sont gradués dans les 2 sens afin de pouvoir mesurer des angles ouverts vers la droite ou vers la gauche.

Pour mesurer la grandeur d'un angle ouvert vers la gauche, on utilise la graduation extérieure du rapporteur.

Pour mesurer la grandeur d'un angle ouvert vers la droite, on utilise la graduation intérieure du rapporteur.

Moi, je détermine d'abord si l'angle est plus petit ou plus grand que 90° pour choisir le nombre de degrés qui convient.

Vocabulaire

Angle

Dans un polygone, un angle est l'écartement formé par 2 côtés ayant le même sommet. Le symbole d'angle est ∠.

Degré

Le degré est l'une des unités de mesure de la grandeur d'un angle. Le symbole de degré est °.

Rapporteur

Le rapporteur d'angles est un instrument qui permet de mesurer la grandeur des angles. On l'utilise aussi pour tracer des angles. Le rapporteur est gradué en degrés, de 0 à 180.

Gammes

Remplace chacune des additions ci-dessous par une addition de 2 nombres.

- 18 + 9 + 30 = ?
- 6 + 57 + 24 = ?
- 33 + 24 + 11 = ?
- 25 + 50 + 75 = ?
- 45 + 15 + 47 = ?
- 18 + 9 + 21 = ?
- 35 + 35 + 35 = ?
- 16 + 28 + 16 = ?
- 23 + 47 + 58 = ?

L'auto du frère de Chloé consomme 8 litres d'essence aux 100 km.

Celle de son père en consomme 2 fois moins, car elle combine électricité et essence.

Combien de litres d'essence l'auto du frère de Chloé a-t-elle consommés de plus que celle de son père au bout de 250 km ?

 ## Situation 1

Du lundi au vendredi, le frère de Chloé parcourt 2 fois par jour une distance de 42,5 km avec son auto.

- Selon chacun des prix indiqués ci-dessous, combien d'argent doit-il débourser pour l'essence durant cette période ?

92 ¢
le litre

85 ¢
le litre

89 ¢
le litre

Si le frère de Chloé avait une auto semblable à celle de son père, combien d'argent aurait-il économisé sur l'essence durant cette période ?

- Communique ta solution et compare-la avec celle d'autres élèves.

Tour de table

- Quelles données as-tu utilisées ?
- Comment as-tu organisé cette information ?
- Quelles opérations mathématiques as-tu effectuées ? Pour quelles raisons as-tu choisi ces opérations ?
- As-tu estimé les résultats ?
- As-tu effectué des vérifications ? De quelle façon ?
- Comment as-tu procédé pour communiquer ta solution ?

Une lieue est une ancienne unité de mesure de longueur.
Elle équivaut à environ 4 km.
Combien de lieues l'auto d'Annabelle peut-elle parcourir avec un réservoir d'essence ?
Utilise les renseignements ci-dessous.

| Capacité du réservoir : 60 litres | Consommation d'essence : 10 litres aux 100 km |

Situation 2

Le père de Chloé doit se rendre dans différentes villes pour son travail.

Il effectue ce trajet avec son auto.

Le schéma ci-dessous illustre son trajet. Le point rouge est le point de départ.

Hull   Montréal   Québec   Rimouski   Gaspé

- Combien d'argent déboursera-t-il pour l'essence durant ce voyage s'il paie en moyenne 87 ¢ le litre d'essence ?
  Utilise les renseignements fournis et le tableau de distances ci-dessous.
- Communique ta solution et compare-la avec celle d'autres élèves.

Trajet	Distance
Hull – Gaspé	1151 km
Québec – Gaspé	700 km
Gaspé – Rimouski	384 km
Montréal – Gaspé	949 km

Si le père de Chloé avait une auto semblable à celle de son frère, combien d'argent aurait-il déboursé pour l'essence durant ce voyage ?

Tour de table ●

- Comment as-tu interprété le schéma ?
- Comment as-tu interprété le tableau ?
- Quelles opérations mathématiques as-tu effectuées ?
  Pour quelles raisons as-tu choisi ces nombres et ces opérations ?
- As-tu estimé les résultats ?
- As-tu fait des vérifications ? De quelle façon ?
- Comment as-tu procédé pour communiquer ta solution ?

1 On a comparé la consommation d'essence de 4 véhicules différents.
Les résultats sont indiqués dans le tableau ci-contre.
Utilise-le pour répondre aux questions suivantes.

Véhicule	Consommation aux 100 km
A	8 litres
B	2 fois plus que A
C	3 fois plus que D
D	4 fois moins que B

A Lequel de ces véhicules a consommé exactement 57 litres d'essence au bout de 475 km ?

B Combien de kilomètres le véhicule D peut-il parcourir de plus que le véhicule B avec 64 litres d'essence ?

2 Geneviève estime que chaque kilomètre parcouru avec son auto lui coûte 35 ¢.
Pour économiser, elle prend l'autobus lors de certains voyages.
Combien d'argent économise-t-elle pour chacun des voyages indiqués dans le tableau ci-dessous si elle achète un billet pour l'aller et un billet pour le retour ?

Billet aller simple	Prix du billet	Nombre de kilomètres
Québec – Montréal	43,71 $	249
Québec – Trois-Rivières	25,31 $	130
Québec – Hull	78,62 $	451
Québec – Gaspé	102,37 $	700

3 Quel nombre dois-tu changer dans la situation ci-dessous pour obtenir un résultat 2 fois plus grand?

Marc-Antoine a versé 35 litres d'essence, à 86 ¢ le litre,
dans le réservoir de sa voiture.
Avec cette quantité, il pourra parcourir 350 km.
Combien de litres d'essence la voiture de Marc-Antoine consomme-t-elle
en moyenne pour parcourir une distance de 50 km?

4 Hier, Sarali s'est rendue 2 fois à la station service pour prendre de l'essence.
La première fois, l'odomètre de sa voiture indiquait 10 045 km.
Elle a mis 54 litres d'essence.
La seconde fois, elle a mis 3 fois moins d'essence.
L'odomètre indiquait 300 km de plus
que la première fois.
Combien de litres d'essence
l'auto de Sarali consomme-t-elle
en moyenne aux 100 km?

Cherche et trouve ·····························

- Une procédure pour découvrir la consommation d'essence de l'automobile de tes parents.

Extra !

Coffre au trésor

Lorsqu'on résout une situation, il faut se donner des méthodes de travail efficaces.

Après avoir pris connaissance d'une situation mathématique, j'essaie de me souvenir si j'ai déjà résolu une situation semblable.

Moi, je représente la situation à l'aide de différents moyens, par exemple du matériel, un schéma, un dessin, un tableau, un mime, un diagramme, des nombres.

Moi, j'indique sur ma feuille ce que je cherche et les données ou les renseignements fournis. Ensuite, j'estime le résultat.

Il faut toujours vérifier le résultat et s'assurer qu'il est possible.

Gammes

Quel nombre est 5 fois plus petit que chacun des nombres suivants ?

• 55	• 100	• 15	• 60	• 95	• 45
• 30	• 110	• 200	• 120	• 75	• 150
• 90	• 125	• 85	• 140	• 80	• 105

1 Les océans recouvrent plus des sept dixièmes de la terre.

Le Canada est bordé par 3 océans:

• à l'est, par l'océan Atlantique dont la largeur maximale est de 9600 km;

• à l'ouest, par l'océan Pacifique dont la largeur maximale est de 17 700 km;

• au nord, par l'océan Arctique dont la largeur maximale est de 4500 km.

Ces océans sont le milieu de vie de plusieurs cétacés.

Parmi les cétacés indiqués dans le tableau, lequel prendrait 40 jours de moins qu'un autre pour parcourir la largeur maximale de l'océan Atlantique?

Cétacé	Vitesse moyenne (km/h)
Baleine noire	4
Rorqual à bosse	8
Rorqual commun	10
Narval	5

2 À une vitesse de 50 km par heure, un petit bateau à moteur consomme en moyenne 12 L d'essence aux 30 minutes.

A Combien de litres d'essence faudrait-il transporter à bord de ce bateau pour parcourir la largeur maximale de l'océan Pacifique?

B Combien de temps un rorqual commun prendrait-il de plus que ce bateau pour parcourir la largeur maximale de l'océan Arctique?

Côte de l'océan Atlantique.

Côte de l'océan Pacifique.

Côte de l'océan Arctique.

Écris tes réponses sur une feuille.

1 Quel nombre correspond à chacune des décompositions suivantes?

A $(2 \times 10^5) + (5 \times 10^3) + (6 \times 10^2) + (3 \times 10^0)$

B $(7 \times 10^5) + (6 \times 10^4) + (2 \times 10^3) + (8 \times 10^1)$

C $(4 \times 10^4) + (4 \times 10^3) + (1 \times 10^1) + (5 \times 10^0)$

D $(8 \times 10^5) + (2 \times 10^4) + (3 \times 10^2) + (9 \times 10^0)$

2 Décris les translations effectuées pour réaliser la frise ci-dessous à l'aide de termes qui conviennent.
La figure initiale est le polygone jaune.

3 Quel nombre a deux millièmes de moins que chacun des nombres suivants ?

A 2,45   **B** 8,079   **C** 12,3   **D** 0,204

4 Jean-Daniel a mis 8 lettres du jeu de scrabble dans un sac.
À l'aide des indices suivants, indique les 8 lettres qu'il peut avoir placées dans le sac.
• Il a 2 chances sur 4 de tirer la lettre A.
• Il a 2 chances sur 8 de tirer une consonne.
• Il a autant de chances de tirer la lettre U que la lettre O.

5 Cassandre est née le 8 décembre 1995.
Quel âge aura-t-elle lors de chacun des événements suivants ?
Exprime chaque réponse à l'aide de 2 unités de mesure de temps.

A Au 12e anniversaire de son frère, le 8 juillet 2008.

B Au 25e anniversaire de mariage de ses parents, le 8 décembre 2018.

6 Mesure la grandeur des angles à l'intérieur du quadrilatère ci-dessous.
Utilise un rapporteur d'angles.

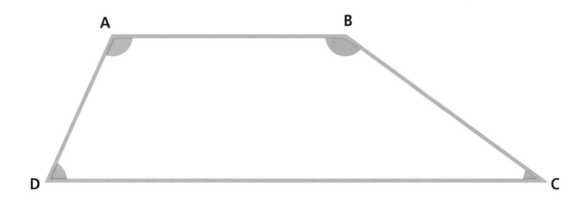

7 Résous la situation suivante. Laisse les traces de ta solution.

> Cédric a acheté une auto.
> Le guide énergétique indique qu'elle consomme 5,7 litres d'essence
> aux 100 kilomètres.
> Cédric prévoit parcourir 500 km par mois avec son auto.
> Combien de litres d'essence l'auto de Cédric consommera-t-elle environ
> par année ?

Concerto pour les terriens

Le Danemark est le plus petit des 5 pays d'Europe du Nord.

Il comporte 500 îles, dont 78 sont habitées.

L'agriculture est un secteur économique important au Danemark. Environ 4 personnes sur 100 y travaillent.

Chaque agriculteur danois peut nourrir 140 personnes.

1 Le Danemark compte environ 1800 écoles primaires.

La littérature est un élément important dans la vie des enfants danois.

Toutes les écoles et toutes les municipalités ont une bibliothèque. Chaque enfant, de 0 à 15 ans, emprunte en moyenne 80 livres par an tandis que les adultes empruntent en moyenne 12 livres.

Au Danemark, l'année scolaire débute la 2e semaine d'août et dure 200 jours.

La journée d'école commence vers 8 h 15 et se termine en début d'après-midi.

Les enfants de 7 à 15 ans fréquentent l'école primaire qui comprend aussi le premier cycle de l'enseignement secondaire. Il y a en moyenne 19 enfants par classe. Souvent, la même personne enseigne aux élèves durant toute leur scolarité primaire.

A Combien de livres un enfant danois a-t-il empruntés de plus qu'un adulte de sa naissance à la fin de l'école primaire ?

B Combien de livres les élèves d'une école danoise de 20 classes empruntent-ils par année ?

C Dans une famille danoise, on emprunte en moyenne 22 livres par mois. Combien d'adultes et d'enfants y a-t-il dans cette famille ?

Camillo a dessiné le polyèdre qu'il vient de construire à l'aide de cubes ayant des arêtes de 1 cm de longueur.

La représentation visuelle de ce polyèdre permet-elle de le reconstruire correctement ?

 ## Situation 1

 • Construis 2 polyèdres à l'aide de cubes ayant des arêtes de 1 cm de longueur.

• Dessine 4 représentations visuelles exactes de chacun de ces polyèdres à partir des indications suivantes :

| **Vue de droite** | **Vue de gauche** | **Vue de dessus** | **Vue de dessous** |

Utilise les feuilles qu'on te remettra et une règle.

• Forme un groupe de 4.

Échangez vos représentations visuelles, construisez les polyèdres illustrés et comparez-les.

Tour de table

• Comment as-tu procédé pour dessiner tes représentations visuelles ?

• Quelles connaissances mathématiques as-tu utilisées ?

• Peux-tu décrire les polyèdres à partir des représentations visuelles seulement ? Comment procèdes-tu ?

• As-tu facilement construit les polyèdres à partir de leurs représentations visuelles ?

• As-tu effectué des vérifications ? De quelle façon ?

• Comment as-tu interprété ces représentations visuelles ?

• Dessine un cube semblable à celui-ci :

• Reproduis ce cube un certain nombre de fois, puis dispose les cubes de façon à représenter le polyèdre illustré ci-contre. Tu peux appliquer une couleur à l'intérieur de chaque cube.

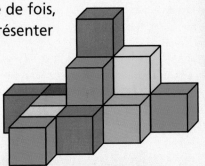

• Quels outils as-tu utilisés ? Compare ta réponse avec celle d'autres élèves.

  ## Situation 2

- Construis les polyèdres qui peuvent convenir aux représentations visuelles que l'on te remettra.
  Utilise des cubes ayant des arêtes de 1 cm de longueur.
  Choisis leur couleur selon les indications données.
- Forme un groupe de 4.
  Comparez les polyèdres obtenus et discutez des différentes possibilités.

Tour de table

- Comment as-tu procédé pour construire ces polyèdres?
- Es-tu satisfaite ou satisfait des résultats obtenus?
- Quelles modifications y apporterais-tu?
- As-tu éprouvé des difficultés? Lesquelles?
- As-tu effectué des vérifications? Lesquelles?
- Pourrais-tu ajouter des représentations visuelles? Lesquelles?
- Peux-tu décrire ces polyèdres à l'aide des termes «face», «sommet» et «arête»?

Mémoire

- Voici les représentations visuelles d'un polyèdre.
  Observe-les pendant 1 minute.

| **Vue de droite et vue de gauche** | **Vue de dessus et vue de dessous** |

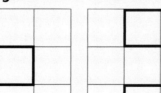

- Ferme ton manuel. Construis ce polyèdre à l'aide de cubes ayant des arêtes de 1 cm de longueur.
- Compare ton résultat avec celui d'autres élèves.

1 • Découpe les polygones sur la feuille qu'on te remettra.
   • Utilise ces polygones et une règle pour dessiner les polyèdres ci-dessous
     sur une feuille blanche.

   A Un prisme à base rectangulaire.

   B Un prisme à base triangulaire.

   C Un prisme dont la base a 6 côtés.

   D Un prisme à base carrée.

   E Un cube ayant des faces 2 fois plus grandes que le carré.

Pour dessiner un cube sur une feuille blanche, je procède de la façon suivante.

1) Je marque d'un point chaque sommet d'un carré.

2) Je déplace le carré vers le centre de la position qu'il occupait et je marque à nouveau les sommets.

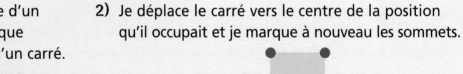

3) J'enlève le carré et je trace les arêtes du cube.

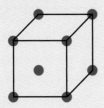

4) Les arêtes qu'on ne voit pas sont en pointillé.

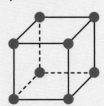

56 cinquante-six

 2 Les polyèdres ci-dessous ont été construits à l'aide de cubes emboîtables ayant des arêtes de 1 cm.

 Trace toutes les faces de ces polyèdres.

Utilise les feuilles qu'on te remettra et une règle.

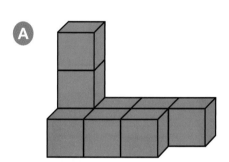

A

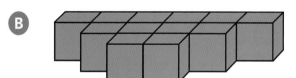

B

C

Cherche ᵉᵗ trouve •••••••••••••••••••••••••••••••

• Une autre procédure pour dessiner des polyèdres sur une feuille blanche.

Extra !

Coffre au trésor

Le dessin d'un polyèdre varie selon la position de l'observation.

Vue de gauche

Vue de dessus et vue de dessous

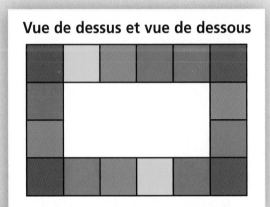

Vue arrière

Vue de droite

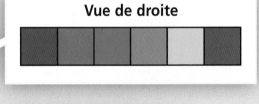

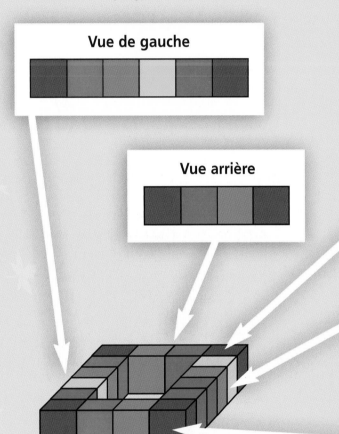

Vue avant

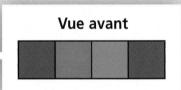

Gammes

Calcule mentalement le résultat des additions suivantes.

- 98 + 11 = ?
- 354 + 11 = ?
- 11 + 267 = ?

- 159 + 11 = ?
- 11 + 482 = ?
- 395 + 11 = ?

- 11 + 546 = ?
- 994 + 11 = ?
- 11 + 1037 = ?

Ma stratégie pour ajouter 11, c'est d'ajouter 10, puis 1.

Comment peux-tu procéder pour découvrir facilement si un nombre est divisible par 6 ?

 ## Situation 1

- Découvre une procédure qui permet de déterminer facilement si un nombre est divisible par 4 ou non.
- Forme un groupe de 4.

  À tour de rôle, présentez la procédure que vous avez découverte.

  Sélectionnez l'une de ces procédures.

  Vous pouvez utiliser les critères ci-dessous.

> La procédure est efficace. Elle permet toujours de déterminer si n'importe quel nombre est divisible, ou non, par 4.

> La procédure est simple d'utilisation.

> La procédure est facile à mémoriser.

Tour de table

- Comment as-tu procédé pour découvrir ta procédure?
- As-tu vérifié l'efficacité de ta procédure avec plusieurs nombres? Combien?
- De quelle façon as-tu choisi ces nombres?
- Comment avez-vous procédé pour sélectionner la meilleure procédure du groupe?

Créativité

- Trouve un lien qu'on peut établir entre des multiples de 2 et les nombres divisibles par 4.
- Présente ce lien à des élèves.

Situation 2

- Découvre une procédure qui permet de déterminer facilement si un nombre est divisible par 8 ou non.
- Réalise une affiche qui décrit cette procédure.
  Présente ton affiche aux élèves de la classe et invite-les à donner leur appréciation.

Ton affiche est très bonne. Elle peut aider beaucoup d'élèves. Tu pourrais la reproduire et la distribuer aux élèves de ton âge dans ton école.

Tu pourrais aussi la distribuer aux élèves du secondaire.

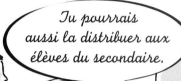

Tour de table

- Comment as-tu procédé pour découvrir ta procédure?
- As-tu vérifié l'efficacité de ta procédure avec plusieurs nombres? Combien?
- De quelle façon as-tu choisi ces nombres?
- Es-tu satisfait ou satisfaite de l'affiche que tu as réalisée?
- Quelles modifications y apporterais-tu à la suite des appréciations reçues?

- Imagine des moyens pour retenir les procédures qui permettent de déterminer facilement si un nombre est divisible par 2, par 3, par 4, par 5, par 6, par 8 et par 10.
- Compare ces moyens avec ceux que d'autres élèves ont imaginés.

- Découvre une procédure qui permet de déterminer facilement si un nombre est divisible par 9 ou non.

Te souviens-tu du moyen présenté pour vérifier si tes résultats de la table de 9 étaient corrects?

1 Le jeu des chaises

- Ce jeu se joue à 4 ou 5. Un ou une élève du groupe joue le rôle d'arbitre.
- Avant de commencer la partie, il faut découper les billets sur les feuilles qu'on vous remettra, les plier et les mettre dans un sac.
- Les élèves placent leur pion sur la case Entrée.
- À tour de rôle, on tire un billet et on indique à l'arbitre le nombre demandé. Si la réponse est correcte, on jette le dé et on avance son pion selon le résultat obtenu.
  S'il y a une personne assise sur la chaise, on recule son pion de 2 cases.
- La partie se termine lorsqu'une personne atteint la case Sortie avec un résultat exact.

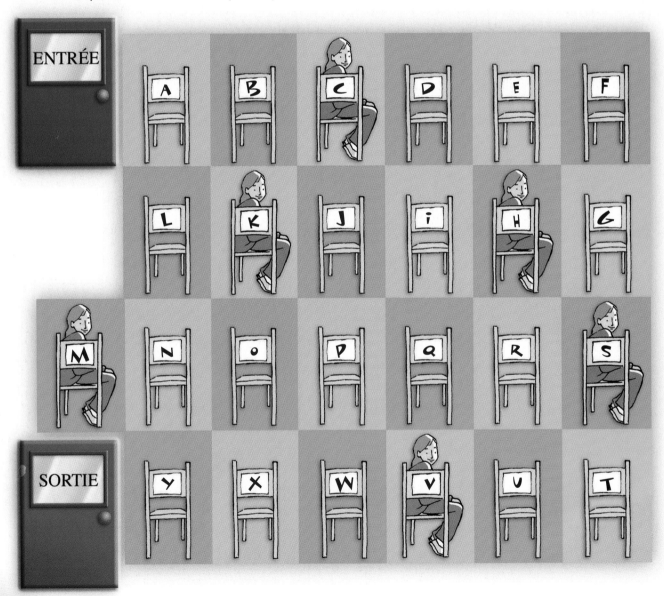

2 Indique si les énoncés ci-dessous sont vrais ou faux.
Effectue des opérations pour vérifier si tes réponses conviennent.

A Un nombre plus grand que 0 qui est à la fois un multiple de 2 et un multiple de 3 est un nombre divisible par 6.

B Tous les multiples de 2 sont des nombres divisibles par 4.

C Tous les nombres divisibles par 8 sont aussi des nombres divisibles par 4.

3 Modifie 2 chiffres dans chacun des nombres ci-dessous afin d'obtenir un nombre divisible par 3.

A 6524 **B** 983 **C** 8024 **D** 5318

4 Un groupe contient entre 30 et 40 personnes.
On peut former des équipes de 2, de 3, de 4, de 6 et de 9 avec ce groupe. Combien de personnes y a-t-il dans ce groupe?

Cherche et trouve ••••••••••••••••••••••

• Des situations de la vie courante où il est utile de connaître les caractéristiques des nombres divisibles par 2, par 3, par 4, par 5, par 6, par 8, par 9 et par 10.

Extra !

Coffre au trésor

On peut trouver certaines caractéristiques des nombres en observant des régularités.

Certains nombres sont divisibles seulement par 1 et par eux-mêmes. Ce sont les nombres premiers.

Il y a des nombres qui sont divisibles à la fois par 3, 6 et 9, par exemple le nombre 18, parce qu'il est un multiple de 3, de 6 et de 9.

Tous les nombres pairs sont des multiples de 2.

Tous les nombres pairs sont divisibles par 2.

Tous les nombres qui se terminent par 5 ou 0 sont divisibles par 5.

Gammes

Ma stratégie pour enlever 11, c'est d'enlever 10, puis 1.

Calcule mentalement le résultat des soustractions suivantes.

- 157 – 11 = ?
- 85 – 11 = ?
- 547 – 11 = ?

- 354 – 11 = ?
- 203 – 11 = ?
- 621 – 11 = ?

- 890 – 11 = ?
- 978 – 11 = ?
- 1000 – 11 = ?

Leçon 73

Clara et Moïse ont interrogé des personnes pour connaître le sens qu'elles donnent au mot « litre ».

Que penses-tu des réponses obtenues ?

 Situation 1

- Forme un groupe de 2 ou 3.
- Élaborez une démarche pour vérifier si l'affirmation du frère de Clara est correcte.
- Réalisez cette démarche en utilisant le matériel qui convient.
- Comparez votre démarche et votre résultat avec ceux d'autres groupes.

Un litre est l'équivalent de 1 dm³.

Tour de table

- Êtes-vous satisfaits de la démarche que vous avez élaborée?
- Quelles modifications y apporteriez-vous?
- Quelles connaissances mathématiques avez-vous utilisées pour élaborer cette démarche?
- Quel matériel avez-vous utilisé?
- Avez-vous fait des apprentissages? Lesquels?
- Quelle est la différence entre «capacité» et «volume»?
- Comment s'est déroulé le travail de groupe?
- Êtes-vous satisfaits de la collaboration de chaque personne?

Mémoire

- Trouve un moyen qui te permet de retenir et de distinguer facilement le sens de capacité, celui de volume et celui de masse.
- Présente ton moyen à d'autres élèves.

  ## Situation 2

- Forme un groupe de 2 ou 3.
- Élaborez une démarche pour vérifier si l'affirmation de la sœur de Moïse est correcte.
- Réalisez cette démarche en utilisant une balance à plateaux et d'autres matériels qui conviennent.
- Comparez votre démarche et votre résultat avec ceux d'autres groupes.

Le litre est le volume de 1 kg d'eau.

Tour de table

- Êtes-vous satisfaits de la démarche que vous avez élaborée?
- Quelles modifications y apporteriez-vous?
- Quelles connaissances mathématiques avez-vous utilisées pour élaborer cette démarche?
- Quel matériel avez-vous utilisé?
- Avez-vous fait des apprentissages? Lesquels?
- Quelle est la différence entre «volume» et «masse»?
- Comment s'est déroulé le travail de groupe?
- Êtes-vous satisfaits de la collaboration de chaque personne?

Culture

Le boisseau est une ancienne mesure de capacité pour le grain qui variait d'une région à l'autre.
À Paris, un boisseau contenait environ 12,8 L.
Trois boisseaux valaient un minot de blé, 4 boisseaux valaient un minot de sel et 5 boisseaux valaient un minot d'avoine.

- Comment peux-tu procéder pour représenter concrètement la capacité du boisseau de Paris?
- Discute de ta procédure avec des élèves et apporte-lui des modifications s'il y a lieu.

1 **A** Construis un contenant qui a la forme d'un récipient d'une capacité de 2 L.
Utilise les quadrillages sur les feuilles qu'on te remettra.

B Présente ton contenant à des élèves.
Décris-le et établis des liens entre son volume et sa capacité.

C Explique, oralement ou par écrit, comment tu pourrais procéder pour représenter chacune des capacités ci-dessous à l'aide de contenants identiques à celui que tu as construit en A.

On utilise 20 L d'eau chaque fois que l'on tire la chasse d'eau des toilettes.

Le corps humain perd 2,4 L d'eau par jour.

Il faut 1000 kg d'eau pour produire 1 kg de pommes de terre.

Quand il fait très chaud, une personne active doit boire 0,5 L d'eau toutes les 30 minutes.

  2 **Ⓐ** Reproduis les tableaux ci-dessous et choisis 5 objets.

Ⓑ Estime leur masse en les soupesant de la façon suivante:

> **Tiens une masse de 1 kg dans une main et l'objet dans l'autre main.**

Remplis le tableau ESTIMATION.

Ⓒ Vérifie tes estimations à l'aide d'une balance et d'une masse de 1 kg.
Remplis le tableau RÉSULTAT.

ESTIMATION			
Objet	Moins de 1 kg	Environ 1 kg	Plus de 1 kg

RÉSULTAT			
Objet	Moins de 1 kg	Environ 1 kg	Plus de 1 kg

 3 Mets divers objets dans une boîte jusqu'à ce que tu estimes que la masse de la boîte corresponde à ta propre masse.
Vérifie ton estimation à l'aide d'un pèse-personne.
Ajoute ou enlève des objets jusqu'à ce que tu obtiennes une estimation correcte.

Cherche et trouve ••••••••••••••••••••••••

- Les capacités et les masses de différents contenants dans le réfrigérateur ou les armoires de la cuisine chez toi.
- La masse, en kilogrammes, d'une tonne de pierres ou d'une baleine.

Extra !

Coffre au trésor

Un objet ou un solide peut être plein ou creux. La capacité est le volume que peut contenir un récipient (objet creux). La capacité se rapporte au volume à l'intérieur du récipient. C'est une mesure qui indique l'espace utilisable d'un récipient.

Vocabulaire

Kilogramme

Le kilogramme est une unité de mesure de masse. Le symbole de kilogramme est **kg**.

Litre

Dans la vie courante, le litre est une unité de mesure que l'on utilise habituellement pour mesurer des capacités.

Le symbole de litre est **L** ou **l**.

Je pèse 48,5 kg.

Ce récipient contient 1,8 L de jus d'orange.

Gammes

Effectue mentalement les opérations suivantes.

- 3,5 + 3,5 = ?
- 7,6 + 6,8 = ?
- 6,3 + 3, 8 = ?

- 5,3 + 2,4 = ?
- 2,6 + 3,9 = ?
- 4,7 + 5,3 = ?

- 4,9 + 2,7 = ?
- 6,5 + 6,6 = ?
- 3,8 + 5,3 = ?

- 3,2 + 0,8 = ?
- 7,9 + 5,8 = ?
- 8,8 + 8,8 = ?

Danik a une corde de 29,1 cm de longueur.
Il doit la partager en 3 parties égales pour réaliser un tour de magie.
Comment peut-il procéder pour effectuer cette division par écrit ?

Situation 1

Pour un deuxième tour de magie, Danik doit déterminer une longueur de corde, entre 19 et 20 cm, qui peut être coupée à la fois en 2, en 4, en 6 et en 8 parties égales. Quelle peut être la longueur de cette corde?
Effectue tes calculs par écrit et vérifie-les à l'aide d'une bande de papier.

Tour de table

- Comment as-tu procédé pour déterminer cette longueur?
- Quelle technique de calcul as-tu utilisée?
- Peux-tu vérifier tes calculs d'une autre façon? Laquelle?
- Pourrais-tu effectuer ces divisions mentalement? De quelle façon procéderais-tu?

J'utilise une stratégie qui me permet de déterminer le nombre de chiffres qu'il y aura dans la partie entière, puis dans la partie décimale. Quelle peut être cette stratégie?

Créativité

- Détermine une stratégie pour estimer un quotient dans une division d'un nombre décimal par un nombre naturel inférieur à 11.
- Vérifie si ta stratégie convient, puis présente-la à des personnes de ton choix.

Calculatrice

- Trouve 3 exemples de divisions d'un nombre décimal par un nombre naturel inférieur à 11 où le quotient comporte une partie décimale qui se termine aux millièmes.
- Trouve 3 exemples de divisions où le quotient est un nombre à virgule dans lequel les chiffres à droite de la virgule ne se terminent pas.

 Situation 2

Pour un troisième tour de magie, Danik doit partager 4 cordes en un certain nombre de parties égales.

Choisis ces cordes parmi celles ci-dessous.

Effectue tes calculs par écrit et vérifie-les à l'aide d'opérations mathématiques.

• Une corde qui peut être coupée à la fois en 3, en 6 et en 9 parties égales.

• Une corde qui peut être coupée à la fois en 3, en 7 et en 9 parties égales.

• Une corde qui peut être coupée à la fois en 6, en 7 et en 9 parties égales.

• Une corde qui peut être coupée à la fois en 5 et en 9 parties égales.

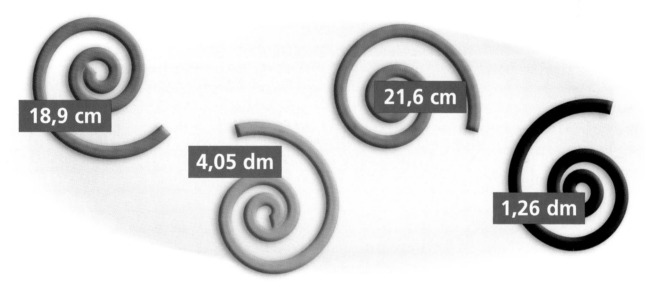

18,9 cm

4,05 dm

21,6 cm

1,26 dm

Tour de table

• Comment as-tu procédé pour choisir les cordes?

• Quelle technique de calcul as-tu utilisée?

• As-tu éprouvé des difficultés? Lesquelles?

○ Quel moyen as-tu utilisé pour les surmonter?

• Peux-tu vérifier tes calculs d'une autre façon? Laquelle?

• Pourrais-tu effectuer ces divisions mentalement? De quelle façon procéderais-tu?

1 Le jeu des jetons

- Ce jeu se joue à 4. Un ou une élève du groupe joue le rôle d'arbitre.
- L'arbitre met dans un sac 5 jetons rouges, 6 jetons bleus et 5 jetons verts.
- À tour de rôle, on tire un jeton et on le place sur une case de la même couleur. On effectue mentalement l'opération inscrite sur cette case et on donne le résultat, oralement ou par écrit, à l'arbitre.
- L'arbitre vérifie le résultat. S'il convient, on obtient un point et on laisse le jeton sur la case. Sinon, on remet le jeton dans le sac.
- La partie se termine lorsqu'il n'y a plus de jetons dans le sac. La personne qui a obtenu le plus de points remporte la partie.

$6,5 \div 2 = ?$	$3,2 \times 3 = ?$	$28 \div 100 = ?$	$1,3 \times 5 = ?$
$4,6 \times 10 = ?$	$10,5 \div 5 = ?$	$2,2 \times 6 = ?$	$8,04 \div 2 = ?$
$24,64 \div 8 = ?$	$6,7 \times 2 = ?$	$12,16 \div 4 = ?$	$1,05 \times 9 = ?$
$5,21 \times 4 = ?$	$78 \div 10 = ?$	$3,58 \times 100 = ?$	$15,27 \div 3 = ?$

 2 **Ⓐ** Parmi les divisions suivantes, laquelle a le plus petit quotient?

   a) 27,3 ÷ 7 = ?   b) 29,7 ÷ 9 = ?

   c) 31,2 ÷ 8 = ?   d) 23,4 ÷ 6 = ?

Ⓑ Parmi les divisions suivantes, laquelle a le plus grand quotient?

   a) 79,2 ÷ 9 = ?   b) 61,88 ÷ 7 = ?

   c) 71,2 ÷ 8 = ?   d) 52,86 ÷ 6 = ?

 3 Casey pose des devinettes mathématiques à Reina.
Que doit-elle répondre?

   Ⓐ Le dividende est 3,04.   **Ⓑ** Le diviseur est 9.
   Le quotient est 8.   Le quotient est 0,33.
   Quel est le diviseur?   Quel est le dividende?

 4 Franco prépare un exercice de calcul écrit pour son frère.
Il doit écrire 5 divisions.
Le diviseur doit être un nombre naturel inférieur
à 11 et le quotient doit être un nombre décimal
comportant des dixièmes et des centièmes.
Quelles divisions Franco peut-il écrire?

Cherche et trouve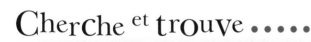

- Des situations de la vie quotidienne où l'on doit diviser un nombre décimal
  par un nombre naturel.
- Des façons de représenter visuellement, oralement et matériellement une division
  d'un nombre décimal par un nombre naturel inférieur à 11.

Extra !

Coffre au trésor

On peut procéder de la façon suivante pour effectuer par écrit la division d'un nombre décimal par un nombre naturel inférieur à 10.

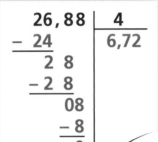

Il faut d'abord partager la partie entière *. On place la* virgule *au quotient, puis on partage la partie* décimale *.*

Je vérifie le quotient en effectuant la multiplication 6,72 × 4.

Dans 26,88, il y a 26 unités. Je pose 6 parce que 4 × 6 = 24. Il reste 2 unités et 88 centièmes, ce qui est équivalent à 288 centièmes. Je place la virgule et je partage en 4 les 288 centièmes.

Gammes

Effectue mentalement les opérations suivantes.

- 9,5 – 3,6 = ?
- 5,3 – 2,4 = ?
- 6,8 – 0,9 = ?
- 7,1 – 4,3 = ?

- 8,2 – 5,8 = ?
- 7,6 – 6,8 = ?
- 4,9 – 2,7 = ?
- 8,4 – 0,5 = ?

- 6,7 – 3,9 = ?
- 1,6 – 0,7 = ?
- 9,7 – 6,9 = ?
- 6,3 – 3,8 = ?

Samir veut découvrir la somme d'argent qu'il économisera en achetant le plus grand format.

De quelle façon peut-il procéder pour découvrir cette somme d'argent en effectuant 3 opérations mathématiques?

Situation 1

Quelle somme totale la sœur de Samir économise-t-elle en achetant les grands formats ?

Tour de table

• Comment as-tu interprété les renseignements fournis ?
• Y a-t-il des éléments qui t'ont mis sur une fausse piste ? Lesquels ?
• Combien d'opérations as-tu effectuées par écrit ? mentalement ?
• As-tu éprouvé des difficultés ? Lesquelles ?
• As-tu estimé les résultats des opérations ?

 ## Situation 2

Le frère de Samir travaille dans un dépanneur de 16 heures jusqu'à la fermeture.

Dans ce dépanneur, on vend en moyenne 15 tablettes de chocolat et 2 douzaines de bouteilles d'eau par heure.

La boîte de 100 tablettes de chocolat coûte 36,00 $ au propriétaire du dépanneur et l'emballage de 6 bouteilles d'eau lui coûte 2,52 $.

Quel profit le propriétaire réalise-t-il chaque jour sur la vente de ces produits ?

Ouvert de 07:00 à 22:00 tous les jours

Tablettes de chocolat 89 ¢ chacune

Bouteilles d'eau 98 ¢ chacune

Tour de table

- Comment as-tu interprété les renseignements fournis ?
- Y a-t-il des éléments qui t'ont mis sur une fausse piste ? Lesquels ?
- Combien d'opérations as-tu effectuées par écrit ? mentalement ?
- As-tu éprouvé des difficultés ? Lesquelles ?

Calculatrice

- Imagine une situation mathématique dans laquelle tu peux utiliser les touches M+ , M− , MR et MC dans ta solution.
- Compare ta situation avec celle d'autres élèves et indique les touches sur lesquelles tu dois appuyer pour la résoudre.

 Résous les situations suivantes.
Laisse les traces de tes solutions.

1 La location d'un film pour une journée
coûte 3,75 $.
La location de ce film pour une période
de 3 jours coûte 9,45 $.

A Combien d'argent économise-t-on lorsqu'on
loue ce film pour une période de 3 jours ?

B Combien d'argent économise-t-on chaque
jour lorsqu'on loue ce film pour la même
période ?

2 Un groupe de 4 personnes bénéficie d'un rabais pour un séjour de 3 jours
dans un hôtel.
Le groupe paie une somme totale de 564,72 $ pour ce séjour.
Le prix habituel dans cet hôtel est de 69,95 $ par personne chaque jour.

A Quel prix chaque personne du groupe paie-t-elle chaque jour ?

B Combien d'argent le groupe économise-t-il pour ce séjour ?

3 Un emballage de 4 paires de chaussettes coûte 7,48 $.
Dans un emballage de 6 paires de chaussettes, chaque paire coûte 1,68 $.
Olivia a besoin de 12 paires de chaussettes.

A Quel emballage doit-elle choisir pour réaliser la plus grande économie ?

B Combien d'argent économisera-t-elle sur chaque paire de chaussettes ?

4 Une revue est publiée tous les 2 mois.
En kiosque, le prix de cette revue est de 9,57 $.
L'abonnement pour un an coûte 52,44 $.
Quelle économie réalise-t-on sur le prix d'une revue en s'abonnant pour un an ?

5 Brian achète une douzaine d'avocats et une douzaine d'oranges.
Combien d'argent doit-il débourser pour cet achat ?

9 oranges pour 5,76 $

8 avocats pour 9,28 $

Cherche et trouve ·······················

- Des économies que l'on peut réaliser à partir de renseignements fournis sur des dépliants publicitaires.

Extra!

Coffre au trésor

À partir de certains renseignements, je peux faire un raisonnement qui me permettra d'obtenir davantage d'information.
Par exemple, si un contenant de 2 L de lait se vend 3,18 $, je sais que le litre de lait coûte 1,59 $ puisque 3,18 ÷ 2 = 1,59.
Si le contenant de 1 L de lait se vend 1,67 $, alors je fais une économie de 0,16 $ en achetant le contenant de 2 L.
1,67 − 1,59 = 0,08
0,08 × 2 = 0,16

Gammes

Calcule mentalement le double des nombres suivants.

• 1,05	• 0,53	• 8,7	• 5,5	• 0,75
• 6,3	• 7,24	• 4,9	• 3,08	• 1,2
• 0,99	• 9,6	• 5,69	• 2,5	• 8,25

Leçon 76

Quelle est la capacité d'un cube qui a un volume de 1 cm³ et quelle est la masse d'eau qu'il peut contenir?

  Situation 1

Inscris les graduations ci-dessous sur un contenant vide de 1 L.
Utilise le matériel de ton choix.

500 mL   **100 mL**   **250 mL**   **150 mL**

D'après toi, quelle est la masse de chacun de ces volumes d'eau?

L'emplacement de tes graduations correspond-il à celui du contenant d'autres élèves?

Tour de table

- Décris chaque étape de la démarche que tu as suivie.
- As-tu éprouvé des difficultés? Lesquelles?
- As-tu vérifié si tes graduations convenaient?
- De quelle façon as-tu procédé pour faire cette vérification?
- Quels apprentissages as-tu faits?

En 2002, on buvait au Québec environ 85 L de lait par habitant. En Finlande, on en buvait environ 180 L par habitant et, en Chine, moins de 5 L.
Combien de verres de lait de 250 mL les Finlandais ont-ils bus de plus que les Québécois en 2002?

  Situation 2

Construis 4 polyèdres à l'aide de cubes emboîtables métriques.
Chaque polyèdre doit avoir l'une des masses indiquées ci-dessous.
Utilise le matériel de ton choix.

60 g **125 g** **24 g** **300 g**

Y a-t-il un lien entre le volume de chaque polyèdre et sa masse?

Quelle serait la capacité de récipients ayant la forme de ces polyèdres?

Tour de table

- Décris chaque étape de la démarche que tu as suivie.
- Es-tu satisfait ou satisfaite de la démarche utilisée? Quelles modifications y apporterais-tu?
- As-tu fait des vérifications? De quelle façon as-tu procédé?
- Quels apprentissages as-tu faits?

Ordinateur

- Réalise une affiche sur la relation entre 2 unités de mesure de masse et celle entre 2 unités de mesure de capacité. Utilise des dessins et des symboles pour représenter ces relations. Tu peux aussi suggérer un moyen qui permet de retenir facilement ces relations.
- Présente ton affiche à des élèves et recueille leurs commentaires. Apporte des modifications à ton affiche s'il y a lieu.

1 Tatiana demande au boucher de lui préparer 2 kg de bœuf haché.
Combien de grammes de bœuf haché le boucher doit-il ajouter à la quantité qu'il a déjà pesée?

2 Comment peut-on obtenir 150 mL d'eau si on dispose seulement d'une bouteille de 250 mL et d'une autre de 100 mL?

3 Quelle masse chacune des balances indique-t-elle?

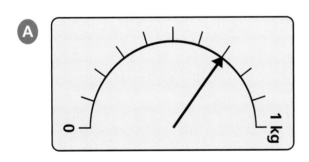

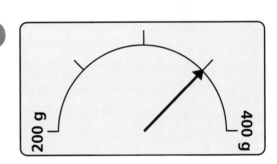

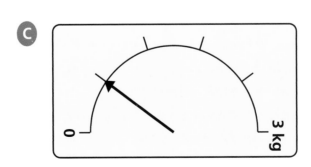

4 **A** Remplis 3 ou 4 verres d'eau à moitié.
Les verres doivent être de formes différentes.

B Estime la quantité d'eau dans chaque verre à l'aide des expressions ci-dessous.

| Moins de 250 mL | Environ 250 mL | Plus de 250 mL |

C Vérifie tes estimations à l'aide du matériel qui convient.

5 Charles-Édouard veut connaître la masse qu'il transporte matin et soir dans son sac d'école. Décris une stratégie simple qu'il pourrait utiliser pour découvrir cette masse.

Peux-tu estimer la masse de ton sac d'école lorsqu'il est rempli?

Ton sac est-il plus lourd ou moins lourd que celui d'une autre personne?

Cherche et trouve ••••••••••••••••••••••••

- Des illustrations d'aliments dont tu estimes que la masse est inférieure à 400 g.
- Des illustrations de contenants dont tu estimes que la capacité est supérieure à 500 mL.

Extra !

Coffre au trésor

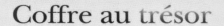

> Un litre est équivalent à 1000 mL. Un kilogramme est équivalent à 1000 g.

> Avec 4 bouteilles de jus de 250 mL chacune, je peux remplir un contenant de 1 L.

> Je peux obtenir une masse de 1 kg avec 2 masses de 500 g chacune ou 5 masses de 200 g chacune.

Vocabulaire

Gramme

Le gramme est une unité de mesure de masse qui correspond à $\frac{1}{1000}$ de 1 kg. Le symbole de gramme est **g**.

Millilitre

Le millilitre est une unité de mesure de capacité qui correspond à $\frac{1}{1000}$ de 1 L. Le symbole de millilitre est **mL** ou **ml**.

Gammes

Calcule mentalement le triple des nombres suivants.

• 3,2	• 1,4	• 5,3	• 2,5	• 10,1
• 0,8	• 3,01	• 2,9	• 7,7	• 6,12
• 1,6	• 6,08	• 0,7	• 5,02	• 8,25

Un groupe d'amis ont construit un prisme à partir du développement ci-dessous.
Ils veulent maintenant construire un prisme semblable qui aura des dimensions
2 fois plus grandes.
Comment doivent-ils procéder pour obtenir ce prisme?

Situation 1

Dans la réalité, les arêtes du cube rouge ont une longueur de 4 cm et les dimensions du prisme vert sont les suivantes:

Longueur: 6 cm

Largeur: 2 cm

Hauteur: 2 cm

Construis un cube et un prisme semblables à ceux-ci. Les dimensions doivent être 2 fois plus grandes.

Utilise les feuilles qu'on te remettra et le matériel qui convient.

Quelle régularité peux-tu observer en comparant l'aire des faces et les volumes de ces 2 formats de solides? Peux-tu expliquer les raisons de cette régularité?

Tour de table

- Comment as-tu procédé pour construire le cube et le prisme?
- Es-tu satisfait ou satisfaite du résultat obtenu?
- Quelles modifications y apporterais-tu?
- As-tu réinvesti des apprentissages? Lesquels?
- Quelle régularité as-tu observée?
- Quels objets, dans la réalité, ont environ ces dimensions?

Ordinateur

- Choisis l'illustration d'un objet dans une banque d'images.
- Copie cette illustration et colle-la dans un nouveau document.
- Agrandis ses dimensions de sorte qu'elles soient 3 fois plus grandes.
- Compare ton résultat avec celui obtenu par d'autres élèves et discute des outils utilisés.

Situation 2

Le tableau ci-dessous indique les dimensions, dans la réalité, de 2 prismes.
Construis un prisme semblable à chacun d'eux.
Leurs dimensions doivent être 3 fois plus petites.
Utilise les feuilles qu'on te remettra et le matériel qui convient.

Prisme	Longueur	Largeur	Hauteur
Prisme à base carrée	36 cm	18 cm	18 cm
Prisme à base rectangulaire	42 cm	24 cm	18 cm

Quels sont les volumes de ces solides?

Quelle est l'aire de chacune des faces de ces solides?

Tour de table

• Comment as-tu procédé pour construire ces prismes?
• Es-tu satisfaite ou satisfait du résultat obtenu?
• Quelles modifications y apporterais-tu?
• As-tu réinvesti des apprentissages? Lesquels?
• Quels objets, dans la réalité, ont environ ces dimensions?

Mémoire

• Place, dans un certain ordre, 5 solides géométriques devant un ou une élève.
• Indique-lui la place de chaque solide, du 1er au 5e.
• Demande-lui de mémoriser cet ordre, puis de se retourner.
• Change 2 ou 3 solides de place.
• Invite l'élève à remettre les solides dans l'ordre.
• Recommence l'exercice, en modifiant à nouveau l'ordre des solides. Selon le résultat obtenu précédemment, change de place un plus grand ou un plus petit nombre de solides.

1 Le développement ci-dessous représente la réduction des dimensions d'un prisme dont la longueur est 28 cm, la largeur 20 cm, et la hauteur 8 cm.

Combien de fois ce prisme a-t-il été réduit ?

Utilise du matériel si tu en as besoin.

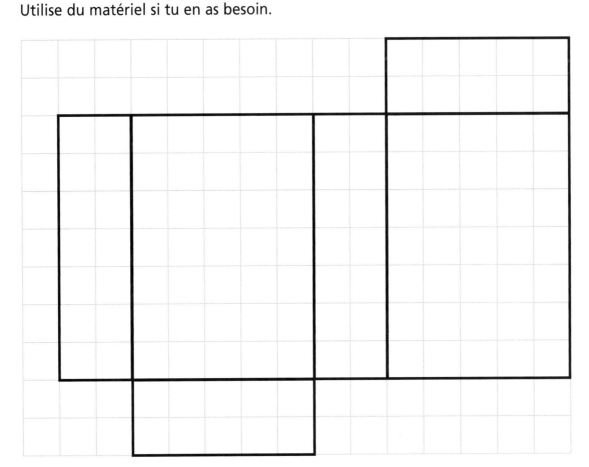

2 Agrandis seulement l'une des dimensions d'un cube ayant des arêtes de 6 cm de longueur.

Utilise des cubes emboîtables métriques.

Décris le polyèdre obtenu en utilisant le plus grand nombre possible de termes mathématiques.

3 Parmi les illustrations ci-dessous, laquelle représente un agrandissement du prisme que l'on peut former à l'aide du développement indiqué?

Utilise du matériel si tu en as besoin.

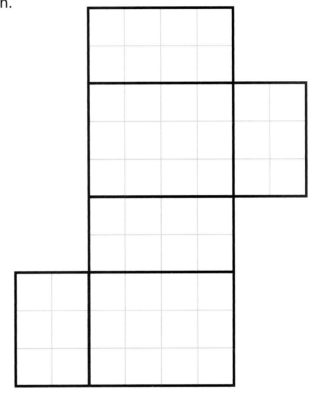

a)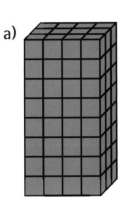

b)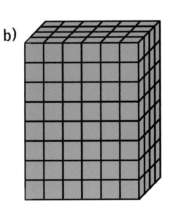

c)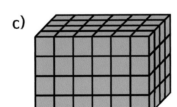

d)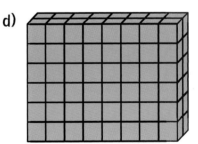

Cherche et trouve •••••••••••••••••••••••••••••••

- Des situations de la vie courante où il est utile d'agrandir ou de réduire des solides.
- Une façon de trouver facilement l'aire des faces d'un polyèdre et son volume.

Extra !

Coffre au trésor

Un solide agrandi ou réduit à la même forme que l'original. Les résultats de mesure sont proportionnels.

Dans un polyèdre, les dimensions correspondent aux longueurs suivantes :

Hauteur

Longueur

Largeur

Dans la réalité, ce prisme a une longueur de 24 cm, une largeur de 18 cm et une hauteur de 12 cm.

Gammes

- Demande à un ou une élève d'écrire un nombre décimal sur une feuille sans te révéler ce nombre.

- Découvre le nombre que cette personne a écrit en lui posant des questions. La personne répond aux questions seulement par « oui » ou par « non ».

Est-ce que ce nombre se situe entre 3 et 4 ?

Y a-t-il des centièmes dans ce nombre ?

Concerto pour la terre

1 Le pétrole est la principale source d'énergie utilisée dans le monde.
Cette source d'énergie est cependant épuisable.
Le pétrole est un liquide d'origine naturelle.
Après avoir été raffiné, il est utilisé comme carburant ou comme matière première
dans certaines industries. Il faut 5 L d'eau pour produire 0,5 L d'essence.
Un baril de pétrole a une capacité d'environ 159 L.
Son prix varie continuellement.
Un dixième de litre de pétrole peut contaminer jusqu'à 200 000 L d'eau.

A Quelle quantité d'eau peut être contaminée par 1 mL de pétrole ?

B Le réservoir à essence d'une motoneige a une capacité de 46,4 L.
Cette motoneige consomme environ 11 L d'essence aux 100 km.
Combien de litres d'eau a-t-il fallu utiliser pour produire l'essence qui permet
de remplir un huitième du réservoir de la motoneige ?

Raffinerie de pétrole.

Pollution par le pétrole.

Au diapason 10

 Écris tes réponses sur une feuille.

1 Construis le polyèdre qui correspond aux représentations visuelles suivantes.
Utilise des cubes emboîtables métriques.

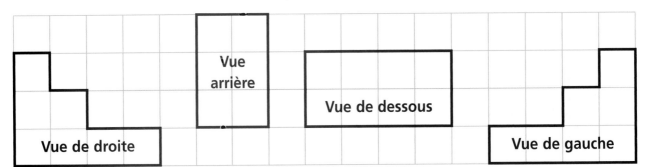

Vue arrière

Vue de dessous

Vue de droite

Vue de gauche

2 **A** Quelle est la caractéristique des nombres qui sont divisibles par 4?

B Écris 5 nombres plus grands que 70 qui sont divisibles par 4.

3 **A** Nomme un objet qui a une masse plus petite que 1 kg.

B Nomme un objet qui a une masse d'environ 1 kg.

C Nomme un objet qui a une masse plus grande que 1 kg.

4 Quels sont les résultats des opérations suivantes?

A $31,8 \times 6 = ?$

B $63,28 \div 7 = ?$

C $18,23 \times 8 = ?$

D $4,68 \div 9 = ?$

E $13,25 \times 5 = ?$

F $97,2 \div 4 = ?$

5 Résous la situation suivante.
Laisse les traces de ta solution.

> Marie-France travaille
> 8 heures par jour.
> Son salaire est de 117,76 $
> par jour.
> François travaille 9 heures
> par jour.
> Son salaire est de 87,12 $
> par jour.
> Combien d'argent Marie-France
> gagne-t-elle de plus que François
> par heure?

6

A Quelle est la relation entre les capacités suivantes? **L** **mL**

B Quelle est la relation entre les masses suivantes? **g** **kg**

7 Le prisme illustré ci-dessous est formé de cubes ayant des arêtes de 1 cm de longueur.
On doit construire un prisme semblable dont les dimensions sont 3 fois plus grandes.
Décris le développement que tu tracerais sur un quadrillage centimétrique afin d'obtenir l'agrandissement de ce prisme.

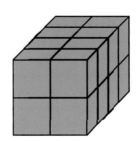

Concerto pour les terriens

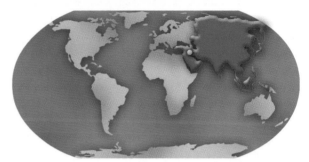

L'Irak est un pays du Moyen-Orient dont l'économie repose sur le pétrole. La moitié de la population est âgée de moins de 18 ans. Les conditions de vie des enfants de ce pays se sont détériorées depuis 20 ans de conflits et de guerres.

1 En Irak, les enfants de moins de 5 ans vivent dans une situation précaire. Parmi ces enfants, un sur 4 souffre de malnutrition chronique et un sur 8 ne survit pas. Les hôpitaux manquent de médicaments et de ressources. À l'automne 2003, en Irak, un médecin gagnait environ 13,55 $ par mois. Le salaire annuel d'un médecin correspondait au salaire moyen qu'il ou elle aurait fait en pratiquant pendant 5 ans un autre métier. Quel était alors le salaire annuel moyen d'une personne qui pratiquait un autre métier que la médecine ?

2 En Irak, le tiers des écoles sont endommagées. Il n'y a pas de chauffage et plusieurs classes n'ont plus de fenêtres. La majorité des élèves n'a pas accès à l'eau potable. Parmi les enfants de 6 à 12 ans, un enfant sur 4 ne va plus à l'école. Parmi eux, il y a 2 fois plus de filles que de garçons. Dans un groupe de 5040 enfants de 6 à 12 ans, combien de garçons et de filles vont à l'école ?

Cadence

Découvre les stratégies utilisées par des élèves de ton âge pour résoudre cette situation mathématique.

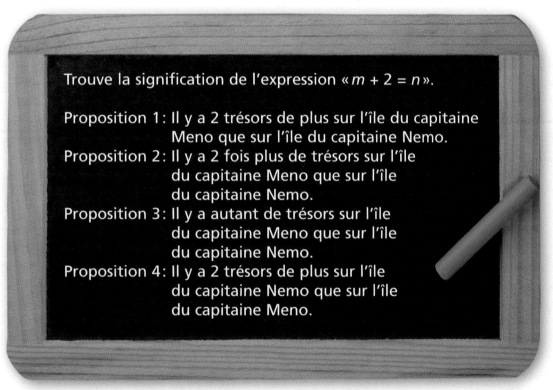

Trouve la signification de l'expression « $m + 2 = n$ ».

Proposition 1: Il y a 2 trésors de plus sur l'île du capitaine Meno que sur l'île du capitaine Nemo.

Proposition 2: Il y a 2 fois plus de trésors sur l'île du capitaine Meno que sur l'île du capitaine Nemo.

Proposition 3: Il y a autant de trésors sur l'île du capitaine Meno que sur l'île du capitaine Nemo.

Proposition 4: Il y a 2 trésors de plus sur l'île du capitaine Nemo que sur l'île du capitaine Meno.

On nous demande de trouver la signification de cette expression, mais il n'y a pas beaucoup de chiffres. On ne sait pas comment additionner une lettre et un nombre.

Regarde, on ne demande pas de trouver la réponse à l'addition mais ce qu'elle signifie. C'est comme un code secret. Il faut d'abord trouver la signification de « m » et de « n ».

Peut-être que «m» signifie Meno.

C'est ça! Et «n» signifie Nemo.

Alors «m + 2 = n» signifie l'île du capitaine Meno plus 2 trésors égale l'île du capitaine Nemo.

Qui, pour avoir le même nombre de trésors sur l'île de Meno que sur l'île de Nemo, il faut y ajouter 2 trésors.

Alors, c'est la proposition 4 qui est la bonne.

Il y a 2 trésors de plus sur l'île du capitaine Nemo que sur l'île du capitaine Meno.

D'après toi, est-ce la bonne signification? Comment pourrais-tu la vérifier? Connais-tu un autre moyen pour trouver plus rapidement la signification de cette expression? Lequel?

Savoirs essentiels

leçon 64 — Nombres naturels ≤ 1 000 000 : lecture, écriture, représentations variées, comparaison, classification, ordre, expressions équivalentes, décomposition, composition, puissance, exposant, régularités, droite numérique

leçon 65 — Frises : observation et production par translation (longueur, direction, sens, flèche de translation)

leçon 66 — Nombres décimaux : lecture, écriture, représentations variées, ordre, décomposition, composition, approximation, passage d'une forme d'écriture à une autre

leçon 67 — Probabilité : expérimentation d'activités liées au hasard, prédiction de résultats, probabilité qu'un événement se produise, dénombrement de résultats, comparaison de résultats obtenus aux résultats théoriques, simulation

leçon 68 — Temps : estimation et mesurage, relations entre les unités de mesure
Addition, soustraction, multiplication, division (nombres naturels) : sens, choix de l'opération, calculs, estimation et vérification de résultats
Statistique : interprétation d'un tableau de données

leçon 69 — Angles : estimation et mesurage
Figures planes : triangles (description, types, construction), mesure d'angles en degrés à l'aide d'un rapporteur
Longueur : mesurage (cm)

leçon 70 — Addition, soustraction, multiplication, division (nombres naturels) : sens, choix de l'opération, calculs
Addition, soustraction, multiplication (nombres décimaux) : sens, choix de l'opération, calculs
Fraction : sens, expressions équivalentes
Statistique : interprétation d'un tableau de données

leçon 71 — Solides : construction, représentation et description de polyèdres
Figures planes : construction, description
Longueur : mesurage (cm)

leçon 72 — Multiplication, division (nombres naturels) : sens, calcul mental, calcul écrit, multiple, diviseur, caractère de divisibilité, divisibilité par 2, 3, 4, 5, 6, 8, 9 et 10

leçon 73 — Capacité : estimation et mesurage (L)
Masse : estimation et mesurage (kg)
Volume : mesurage (dm³)
Nombres décimaux : sens, représentation
Solides : construction

leçon 74 — Multiplication, division (nombres décimaux) : sens, approximation de résultats, calcul mental, calcul écrit, quotient, dividende, diviseur, produit

leçon 75 — Addition, soustraction, multiplication, division (nombres décimaux) : sens, choix de l'opération, calculs
Temps : relations entre les unités de mesure

leçon 76 — Capacité : estimation, mesurage, relations entre les unités de mesure (L, mL)
Masse : estimation, mesurage, relations entre les unités de mesure (kg, g)
Volume : relations entre les unités de mesure (cm³, dm³)
Solides : construction
Addition, soustraction, multiplication, division (nombres naturels) : sens, choix de l'opération, calculs

leçon 77 — Solides : construction, développement de polyèdres convexes, identification, description
Volume : mesurage (cm³)
Surface : mesurage (cm²)
Longueur : mesurage (cm)
Statistique : interprétation d'un tableau de données

Extra !

Leçon 50 — Page 20

Coffre au trésor

Pour lire facilement les grands nombres, on laisse un espace entre chaque groupe de 3 chiffres en respectant les différentes classes. Si le nombre comporte 4 chiffres, il n'est pas nécessaire de laisser un espace entre la classe des unités et celle des milliers. Dans ce cas, la règle est facultative.

Classe des millions			Classe des milliers			Classe des unités		
C	D	U	C	D	U	C	D	U
10^8	10^7	10^6	10^5	10^4	10^3	10^2	10^1	10^0
								1
							1	0
						1	0	0
					1	0	0	0
				1	0	0	0	0
			1	0	0	0	0	0
		1	0	0	0	0	0	0

La position immédiatement à gauche a une valeur 10 fois plus grande que la précédente. Par exemple, la position des dizaines dans la classe des unités vaut 10 fois plus que la position des unités dans la même classe.

Vocabulaire

Exposant et puissance

Un exposant est le nombre placé en haut et à droite d'un autre nombre pour indiquer la puissance à laquelle celui-ci est élevé. Par exemple, la 2e puissance de 10 est 100.

La puissance d'un nombre est le produit de facteurs identiques à ce nombre.

exposant
$$10^2 = 10 \times 10 = 100$$
base — puissance

Dix exposant deux
ou
dix élevé à la puissance deux.

Parenthèses

En mathématique, les parenthèses sont des signes qui servent à regrouper des opérations ou des éléments d'un couple. Dans des opérations, elles permettent d'indiquer l'ordre dans lequel les opérations doivent être effectuées.

$$2348 = (2 \times 1000) + (3 \times 100) + (4 \times 10) + (8 \times 1)$$

$(3, 5)$

Leçon 51 — Page 26

Vocabulaire

Numérateur

Le numérateur d'une fraction indique le nombre de parties équivalentes du tout ou de la collection d'objets que l'on veut représenter. Ce terme est placé au-dessus de la barre de fraction.

$\dfrac{3}{4}$

Dénominateur

Le dénominateur d'une fraction indique en combien de parties équivalentes le tout ou la collection d'objets ont été partagés. Ce terme est placé au-dessous de la barre de fraction.

Fractions équivalentes

Des fractions sont équivalentes lorsqu'elles représentent le même nombre.

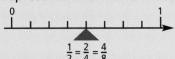

$$\frac{1}{2} = \frac{2}{4} = \frac{4}{8}$$

Fraction irréductible

Une fraction irréductible est la fraction qui a le plus petit numérateur et le plus petit dénominateur dans l'ensemble de toutes les fractions équivalentes à une fraction donnée.

$\dfrac{1}{2}$ $\dfrac{2}{4}$ $\dfrac{4}{8}$

Pourcentage

Un pourcentage correspond à une fraction dont le dénominateur est 100.

Pour représenter un pourcentage, on utilise le signe % qui signifie pour cent.

Le $\dfrac{1}{2}$ du quadrillage est colorié.

Les $\dfrac{5}{10}$ du quadrillage sont coloriés.

Les $\dfrac{50}{100}$ du quadrillage sont coloriés.

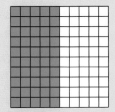

Les 50 % du quadrillage sont coloriés.

Leçon 52 Page 32

Coffre au trésor

Il y a 2 groupes de solides : les **corps ronds** et les **polyèdres**.

Les solides qui font partie du groupe des corps ronds comportent au moins **une surface courbe**.

Les solides qui font partie du groupe des polyèdres comportent **seulement des faces planes**.

Vocabulaire

Développement d'un solide

La surface des polyèdres peut être mise à plat à partir de découpages le long de certaines arêtes. La figure ainsi obtenue est un développement du solide.

Arête et sommet

Dans un polyèdre, une arête correspond à l'endroit où se rencontrent 2 faces.

Dans un polyèdre, un sommet correspond à l'endroit où se rencontrent au moins 3 faces.

Polygone régulier

Un polygone est régulier lorsque tous ses côtés ont la même longueur et que tous ses angles ont la même grandeur.

Par exemple, un carré est un polygone régulier.

Polyèdre convexe

Un polyèdre est convexe lorsque le segment qui joint 2 points quelconques est inclus dans la portion d'espace délimitée par le polyèdre.

Par exemple, un prisme à base carrée est un polyèdre convexe.

Polyèdre régulier

Un polyèdre régulier convexe est un polyèdre dont toutes les faces sont des polygones réguliers de mêmes dimensions.

Il existe 5 polyèdres réguliers convexes. Ce sont les solides de Platon.

Leçon 53 Page 38

Coffre au trésor

Dans une addition ou une multiplication, on peut grouper les termes de différentes façons sans modifier le résultat. C'est la propriété d'**associativité**.

$$(10 + 15) + 20 = 10 + (15 + 20)$$
$$25 + 20 = 10 + 35$$
$$45 = 45$$

$$(2 \times 3) \times 4 = 2 \times (3 \times 4)$$
$$6 \times 4 = 2 \times 12$$
$$24 = 24$$

Dans une addition ou une multiplication, on peut changer les termes de place sans modifier le résultat. C'est la propriété de **commutativité**.

$$15 + 20 = 20 + 15$$
$$35 = 35$$

$$3 \times 4 = 4 \times 3$$
$$12 = 12$$

On peut remplacer la multiplication d'une somme ou d'une différence par la multiplication de chacun des termes de cette addition ou soustraction. C'est la propriété de **distributivité**.

$$18 \times (8 + 9) = (18 \times 8) + (18 \times 9)$$
$$18 \times 17 = 144 + 162$$
$$306 = 306$$

Lorsque je dois calculer mentalement 4 × 68, j'additionne le résultat de 4 × 60 (240) et celui de 4 × 8 (32). Le produit de 4 × 68 est donc 272 (240 + 32). Je trouve plus facile de calculer mentalement de cette façon.

Leçon 54

Page 44

Coffre au trésor

Leçon 55 Page 50

Vocabulaire

Mètre

Le mètre est l'unité de mesure de longueur du système métrique. Le symbole de cette unité est «m».

Décimètre

Le décimètre est l'unité de mesure qui correspond à $\frac{1}{10}$ (0,1) d'un mètre. Le symbole de cette unité est «dm».

Centimètre

Le centimètre est l'unité de mesure qui correspond à $\frac{1}{100}$ (0,01) d'un mètre. Le symbole de cette unité est «cm».

Millimètre

Le millimètre est l'unité de mesure qui correspond à $\frac{1}{1000}$ (0,001) d'un mètre. Le symbole de cette unité est «mm».

Kilomètre

Le kilomètre est l'unité de mesure qui correspond à 1000 mètres. Le symbole de cette unité est «km».

Moyenne

La moyenne arithmétique de plusieurs données s'obtient en divisant la **somme** des données par le **nombre** de données.

Par exemple, Micha a parcouru 4 km le lundi, 5 km le mardi, 3 km le mercredi, 6 km le jeudi et 2 km le vendredi. Il a donc parcouru en moyenne 4 km chaque jour puisque

$$4 + 5 + 3 + 6 + 2 = 20$$
$$20 \div 5 = 4$$

Leçon 56 Page 56

Coffre au trésor

On peut utiliser différentes techniques pour multiplier un nombre décimal par un nombre naturel. Voici des exemples.

Lorsqu'on additionne ou soustrait des nombres décimaux, il faut aligner les virgules.

Leçon  Page 66

Coffre au trésor

> Tous les diamètres d'un cercle ont la même longueur.

> La longueur du rayon d'un cercle est la moitié de la longueur du diamètre.

> Tous les rayons d'un cercle ont la même longueur.

> Tous les diamètres d'un cercle sont des axes de réflexion.

Vocabulaire

Cercle
Un cercle est une ligne courbe, plane et fermée dont tous les points sont situés à égale distance du centre du cercle.

Rayon
Un rayon est un segment qui relie tout point du cercle à son centre.

Diamètre
Un diamètre est un segment qui relie 2 points opposés du cercle en passant par le centre.

Disque
Un disque est la région intérieure délimitée par un cercle.

Circonférence
La circonférence est la longueur de la ligne qui forme le cercle.

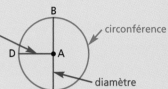

Leçon 58 Page 72

Coffre au trésor

> Un nombre décimal peut avoir plusieurs chiffres à droite de la virgule.

> Tout nombre décimal peut s'écrire sous la forme d'une fraction.

> Il y a toujours au moins un nombre décimal entre deux nombres décimaux.

> Il y a toujours au moins un nombre décimal entre deux nombres naturels.

Unité de mille	Centaine	Dizaine	Unité	Dixième	Centième	Millième

Vocabulaire

Dixième
Un dixième représente une partie d'un tout ou d'une collection partagés en 10 parties équivalentes.

Cette partie s'exprime symboliquement par $\frac{1}{10}$ ou 0,1.

Centième
Un centième représente une partie d'un tout ou d'une collection partagés en 100 parties équivalentes.

Cette partie s'exprime symboliquement par $\frac{1}{100}$ ou 0,01.

Millième
Un millième représente une partie d'un tout ou d'une collection partagés en 1000 parties équivalentes.

Cette partie s'exprime symboliquement par $\frac{1}{1000}$ ou 0,001.

Leçon 59 — Page 78

Coffre au trésor

Avant de résoudre une situation-problème, il faut prendre le temps de s'approprier cette situation. Il faut aussi interpréter correctement les données fournies. Il y a plusieurs façons de procéder selon le style et la personnalité de chaque individu. Voici des exemples :

Pour mieux comprendre, je lis le texte une fois à voix basse, puis je demande à une personne de lire ce texte à voix haute.

Moi, je lis la question ou la tâche en premier.

Moi, je redis le texte dans mes mots après l'avoir lu une fois.

Pour mieux comprendre ce que je dois chercher, je répète la question ou la tâche trois fois.

Après ma lecture, je repère immédiatement les données utiles, les données inutiles et les données manquantes. J'ai besoin de savoir si j'ai tout ce qu'il faut pour résoudre la situation.

Au fil de ma lecture, je représente la situation dans ma tête, un peu comme un film.

Leçon 60 — Page 84

Coffre au trésor

On peut écrire certaines sommes d'argent à l'aide de signes différents.

25 ¢, c'est 0,25 $.
84 ¢, c'est 0,84 $.

Par exemple, pour obtenir un nombre 10 fois plus grand que 2,34, c'est-à-dire multiplier 2,34 par 10, on inscrit ce nombre dans un tableau de numération en respectant la valeur de chaque chiffre. On déplace ensuite d'une position vers la gauche chacun des chiffres de ce nombre. La virgule ne se déplace pas. De même, pour multiplier un nombre par 100, on déplace les chiffres de deux positions vers la gauche.

	Centaine	Dizaine	Unité		Dixième	Centième
			2	,	3	4
× 10		2	3	,	4	
× 100	2	3	4	,		

Leçon 61 — Page 90

Coffre au trésor

Que savez-vous sur les mesures de temps ?

Je sais qu'il y a 24 heures dans une journée.

Je sais qu'il y a 12 mois dans une année.

Je sais qu'il y a 60 minutes dans une heure.

Je sais que pour comparer des durées, il faut utiliser la même unité de mesure.

Je sais qu'il y a 60 secondes dans une minute.

Leçon 62 Page 96

Vocabulaire

Diagramme circulaire

Le diagramme circulaire est un diagramme qui représente un ensemble de données. La valeur de chaque donnée correspond à la section du disque qui lui convient.

- -

Diagramme à bandes

Le diagramme à bandes est un diagramme qui représente un ensemble de données à l'aide de bandes. La longueur de chaque bande correspond à la valeur de chaque donnée.

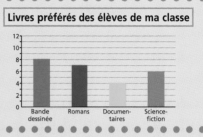

- -

Diagramme à ligne brisée

Le diagramme à ligne brisée est un diagramme qui représente un ensemble de données à l'aide d'une ligne simple brisée. Les différentes hauteurs de cette ligne correspondent aux valeurs des données.

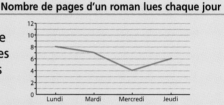

Leçon 63 Page 102

Coffre au trésor

Un centimètre cube est le volume d'un cube qui a des arêtes de 1 cm de longueur.

Le volume d'une réglette Cuisenaire blanche est 1 cm³.

L'aire de chaque face d'un cube de 1cm³ est 1 cm².

Le volume d'un solide est le même qu'il soit plein ou creux.

Les unités de mesure utilisées pour calculer des volumes sont des cubes.

Les unités de mesure utilisées pour calculer des aires sont des carrés.

Vocabulaire

Aire

L'aire est la mesure de l'étendue d'une surface limitée.

Le mètre carré (m²), le décimètre carré (dm²) et le centimètre carré (cm²) sont des unités de mesure métriques qu'on utilise pour mesurer cette étendue.

Volume

Le volume est la mesure de la portion de l'espace à 3 dimensions occupé par un solide.

Le mètre cube (m³), le décimètre cube (dm³) et le centimètre cube (cm³) sont des unités de mesure métriques qu'on utilise pour mesurer cette portion de l'espace.

Chaque unité est 1000 fois plus grande que celle qui la précède (10 × 10 × 10) et 1000 fois plus petite que celle qui la suit.

Extra !

Leçon 64 · Page 12

Coffre au trésor

Dans la vie courante, les exposants et les puissances sont utiles pour représenter de grands nombres.

J'ai remarqué que beaucoup de scientifiques les utilisent.

Vocabulaire

Ordre croissant
L'ordre croissant est une disposition du plus petit au plus grand.

Ordre décroissant
L'ordre décroissant est une disposition du plus grand au plus petit.

Plus de
L'expression « plus de » avant un nombre exprime une quantité plus grande que ce nombre.

Moins de
L'expression « moins de » avant un nombre exprime une quantité plus petite que ce nombre.

Au plus
L'expression « au plus » avant un nombre exprime une quantité maximale.

Au moins
L'expression « au moins » devant un nombre exprime une quantité minimale.

Leçon 65 · Page 18

Coffre au trésor

Les images que l'on obtient après avoir effectué des translations ont la même forme, les mêmes dimensions et le même sens que la figure initiale.

On peut décrire une translation à l'aide seulement d'une flèche sur un quadrillage. Par exemple, la flèche ci-dessous signifie un déplacement de 2 cases vers la droite et de 3 cases vers le haut.

Vocabulaire

Frise
Une frise est une bande continue dans laquelle le ou les motifs se répètent en suivant une régularité.

Translation
La translation est une transformation géométrique qui permet d'obtenir l'image d'une figure en la déplaçant selon un sens, une direction et une longueur donnés.

Flèche de translation
La flèche de translation donne la direction, le sens et la longueur des points de la figure à ceux de son image.

Leçon 66 · Page 24

Coffre au trésor

Classe des millions			Classe des milliers			Classe des unités					
		10^6	10^5	10^4	10^3	10^2	10^1	10^0	$\frac{1}{10}$	$\frac{1}{100}$	$\frac{1}{1000}$

Un nombre décimal qui a plus de chiffres qu'un autre nombre n'est pas nécessairement plus grand que cet autre nombre.

Pour arrondir un nombre décimal, tu peux procéder d'une façon semblable à celle que tu utilises pour les nombres naturels.